D1413296

NO VIVA EN ESTE MUNDO
VAYA AL MUNDO DE
LA FELICIDAD ETERNA
Y VIVAMOS ALLI

La completud humana se realiza cuando uno sustrae su propia mente
De esta manera tendrá la mente de dios y tendrá sabiduría
Por lo tanto podrá vivir bien
Y su alma y espíritu que es su mente, podrá vivir eternamente

NO VIVA EN ESTE MUNDO
VAYA AL MUNDO DE LA FELICIDAD ETERNA Y VIVAMOS ALLI
Por Woo Myung

Primera edición en coreano en Agosto del 2011
Fecha de publicación en español: Abril 2012

Publicado por Editorial CHAM, Presidente Choi Chang Hee
Sunsangdong 30-23, Mapoku, Seúl 121-843, República de Corea
Teléfono: 82-2-325-4192~4
Fax: 82-2-325-1569
E-mail: chambooks@maum.org
Numero de registro13-1147, Fecha 29.12.2000

ISBN 978-89-87523-25-5

Este libro ha sido traducido al español del libro original "No Viva en Este Mundo, Vaya al Mundo de la Felicidad Eterna y Vivamos Allí" escrito en coreano en 2011
Traducido y editado por el Equipo de traducción de miembros de Meditación Maum

Para más información acerca de Meditación Maum, visite http://www.maum.org

NO VIVA EN ESTE MUNDO
VAYA AL MUNDO DE
LA FELICIDAD ETERNA
Y VIVAMOS ALLI

Por Woo Myung

Editorial CHAM

Woo Myung nació en Corea del Sur, en la provincia de Kyongbuk. Las infinitas dificultades que experimentó y su profunda introspección acerca de la vida hicieron que despertara su interés en la búsqueda de la felicidad y de la paz. En enero de 1996, cuando meditaba en las montañas de Corea del Sur, Woo Myung logró la iluminación completa. Supo que él era la Verdad y que era su destino enseñar la Verdad. De esta manera fundó Meditación Maum y desde entonces, ha dedicado su vida ayudando a las personas a lograr la iluminación a través de su método de sustracción. Por su dedicación y esfuerzo en ayudar a la humanidad, Woo Myung fue galardonado con el premio Mahatma Gandhi de la Paz de las Naciones Unidas ONG, de la Asociación Internacional de Educadores para la Paz Mundial (IAEWP) en Septiembre 2002. Ha sido también nombrado como Embajador Mundial de Paz por la misma organización.

Woo Myung es autor de varios libros Bestsellers como Escrituras de Sabiduría(1996), Principios de la Naturaleza(1998), Mente(1998), El Mundo Iluminado(1998), El Mundo Más Allá del Mundo(2003), El Mundo Eternamente Vivo(2004), El Método para Hacerse una Persona del Cielo Estando Vivo(2006), El Sitio en Donde Uno se Hace la Verdad Será el Verdadero(2008), No Viva en Este Mundo Vaya al Mundo de la Felicidad Eterna y Vivamos Allí(2011).

Los libros del maestro Woo Myung están siendo publicados en los idiomas inglés, chino, francés, alemán, italiano, japonés, portugués y sueco.

Parte 2 La Mente Humana

Parte 3 El Mundo Divino, Más Allá del Mundo Humano

Parte 4 El Mundo Eterno

Parte 5 El Cielo Vacío que está vivo

Al viajar por el mundo, puedo ver que las personas del mundo tienen diferentes idiomas y diferentes costumbres en cada región, pero veo que comer y vivir es lo mismo para todos. Como el hombre no sabe a dónde debe ir, no sabe para qué vive, por qué vive y por qué debe morir, ya que esto es indescifrable, aparentemente las personas viven sin pensar en ello.

En reuniones en donde los líderes espirituales del mundo se hacen presentes, o en reuniones de líderes religiosos, de las Naciones Unidas, de líderes políticos e incluso a personas del mundo, cuando les doy un discurso, un seminario o dialogo con ellos, les explico que la razón de que existen un sin fin de sectas religiosas y diferencias entre ideologías políticas es que los pensamientos y regímenes del hombre han sido producto de la mente humana incompleta. Les explico que cuando el hombre se complete, superará a todas las religiones y superará a todas las ideologías, políticas, ciencias y filosofías presentes. Cuando el hombre se haga la Verdad, que es la completud humana, es cuando el mundo podrá unificarse.

Les digo que cuando la mente humana sea cambiada por la mente del universo que es la Verdad y Dios, y sea creado nuevamente en este universo, uno se hará dios inmortal sin muerte y podrá completarse. Cuando les digo esto todos asienten.

Hasta ahora, ha sido la era en la cual únicamente se agregaba falsedades dentro de la mente humana; pero ahora ha llegado la era en la cual uno desecha todo lo que ha guardado dentro de uno mismo y se hace la mente del universo, renace y vive eternamente.

Meditación Maum posee el método para la completud humana, y con él, las personas del mundo podrán completarse y todos podrán ser uno ya que podrán renacer como la Verdad, que es la mente verdadera, y vivir luego de desechar la mente falsa.

Cuando las personas me preguntan si esto realmente se realiza, les contesto que ya se ha realizado y que ya muchas personas se han completado. Ya que las personas se desprenden de sus cargas pesadas y dejan de poseer estrés, todos se hacen saludables. Es ahora la era en la cual todos se hacen santos.

La era incompleta era una era en la que se sumaba dentro de la mente, pero gracias a esta alternativa, cuando se reste la mente, uno se hará el universo que es la mente original, la Verdad. Al escuchar esto, todos asienten. Cuando les doy un discurso o converso con las personas, les explico que si uno renace en este universo, aquí será el Cielo eterno y que podrán vivir eternamente en el mundo completo sin muerte. Hay muchas personas que al escucharme, empiezan el estudio que permite desechar la mente.

Si uno mira habiéndose desprendido de su ilusoria mente individual, desde la mente del universo, sabrá todos los principios del mundo. También, uno debe renacer con el cuerpo y mente del universo eterno y vivir eternamente sin muerte.

En esta era, la civilización material ha llegado a su desarrollo máximo; pero en el nuevo mundo del futuro, la conciencia de la Verdad se expandirá por el mundo y aquí en esta tierra se realizará el Cielo estando vivo.

Hasta ahora ha sido una era en la que sólo hemos escuchado

palabras de la Verdad. Pero ahora es la era en la que cualquiera puede hacerse santo. Lo que el hombre debe lograr, es hacerse la Verdad misma y hacerse dios inmortal. No hay nada más importante que su vida y esto es lo más importante del mundo.

Primera Parte

El propósito del nacimiento y la vida del hombre en este mundo

El propósito y el objetivo del hombre es no morir y vivir eternamente en el reino completo. Para que el hombre viva en este reino, debe saber que uno mismo es falso, que vive en el reino falso y en consecuencia debe eliminar este reino falso. Debe nacer nuevamente en la Verdad, debe renacer nuevamente con las cualidades de la Verdad, sólo así podrá vivir eternamente. Únicamente cuando la mente de uno retorne al cimiento original estando vivo, que es la existencia de la Verdad, y cuando uno renazca con el cuerpo y mente de esa Verdadera existencia, es aquel que ha obtenido la conciencia original. Aquel que estando vivo ha nacido nuevamente, ha renacido y ha resucitado en el reino de su mente, aunque su cuerpo muera, esa existencia que ha renacido seguirá vivo.

Desde la desesperanza a la esperanza

Incluso en aquellos tiempos remotos ha vivido el hombre. Incontables personas vivieron en esta tierra y desaparecieron en silencio sin dejar rastros. Me doy cuenta de que la vida del hombre no tiene propósito ni sentido al ver que incontables personas viven con sufrimientos, obsesionándose con la realidad y con dolores por su deseo de posesión y cuando mueren, no dejan rastro alguno.

La vida eterna del hombre y la liberación de los sufrimientos y cargas, es posible cuando uno se muere estando vivo; de esta manera uno podrá encontrar a su ser verdadero. El verdadero ser de uno existe cuando el hombre muere y renace como una existencia divina.

El mundo desaparece, y aunque todas las personas desaparezcan, lo que queda es solamente el cimiento original que está vivo. En el cimiento original, todos los discernimientos de formas, gustos, olores, visuales y de sentidos han cesado. Si uno renace en este cimiento original, el hombre y el mundo vivirán sin muerte siendo una existencia divina, siendo inmortal.

Desechar la falsedad y hacerse la Verdad es el único camino a la vida. Las personas pretenden hacerse la Verdad poseyendo la falsedad; por lo mismo, es raro que hayan personas que entiendan el principio de tener que desechar la falsedad para poder hacerse la Verdad. Por estar fuertemente obsesionado a esa falsedad, uno busca la Verdad dentro de esa falsedad. Desconocer el hecho de que la Verdad no existe en la falsedad es una ignorancia. Hay que desechar la falsedad hasta que quede solamente la Verdad y renacer como la Verdad será únicamente la respuesta correcta.

Iluminación

En este mundo existe la falsedad y la Verdad. La falsedad es la mente humana que ha hecho una copia de existencias del mundo y la Verdad es el mundo. El hombre no es en este momento uno con la mente del mundo; sino que ha tomado fotografías del mundo y vive al mismo tiempo, en el mundo que está superpuesto con el mundo verdadero. Pero lo cierto es que el hombre vive dentro de su propia mente. Según la cantidad de la mente del mundo, que es la Verdad, haya entrado dentro de la mente de uno, uno empieza a saber naturalmente y esto es la iluminación.

Como la mente humana es una fotografía ilusoria, según la cantidad de fotografías que uno haya desechado, esa misma cantidad de la Verdad entra en la mente de uno y uno empieza a saber naturalmente, esto es la iluminación. Solamente cuando uno se arrepienta, puede haber iluminación y uno puede lograr el estado completo que es la Verdad. Es el mismo principio que lavar una ropa sucia; según lo que se ha limpiado, esa ropa vuelve a su estado original según la cantidad que se ha limpiado. Así como al borrar con una goma una hoja totalmente escrita se empieza a ver la hoja limpia, cuando esté limpia se sabrá de la hoja que es la Verdad.

Saber que el mundo es uno

Este mundo es uno, pero la razón por la cual la mente humana ve al mundo en miles de maneras diferentes es porque existen miles de diferentes tipos de mente humana. El hombre ha nacido como hijo del hombre incompleto, y ha tomando fotos en su mente de existencias del mundo completo con sus ojos, nariz, orejas, boca y el cuerpo.

Este mundo mental que está superpuesto con el mundo verdadero, es un mundo hecho por el hombre y es una copia del mundo. Es el hombre, quien dentro de ese mundo ilusorio, vive construyendo más ilusiones. Por esto, el significado del dicho de la Biblia "bienaventurados los pobres en espíritu, porque de ellos es el reino de los cielos" es que cuando uno desecha su mente falsa, el mundo verdadero que es el paraíso, se hará suyo.

Las frases "limpia tu mente y vacía tu mente" también significan que uno debe desechar y matar la mente falsa que es el enemigo del mundo y que ha dado la espalda al origen. Como esta mente de uno es una mente cerrada, egoísta y centrada en uno mismo, tiene discernimientos y juicios de esto y aquello, de lo correcto e incorrecto, de lo bueno y malo, de que vive y de que muere, qué es mi pertenencia y qué no, enemigos y amados. Como la foto es la mente falsa del hombre que vive siendo el dueño, el hombre luego de haber nacido como hijo de la falsedad, vive en un mundo falso y termina yendo a un mundo falso inexistente; el hombre termina muriendo.

Para que el hombre logre la completud humana, debe desechar el mundo falso que está compuesto por la Tierra, la Luna, estrellas, el Sol e incluso la materia que existe en el aire. Entonces lo único que queda es la existencia del Creador, Dios, Buda y Janolnim. Visto desde la perspectiva de esta existencia, aunque existan o no todas las creaciones del universo, será el mismo cimiento original.

Por el hecho de que la mente humana no es uno con el mundo, visto el mundo desde su mente, es un mundo con incontables cosas diferentes, pero visto desde el origen este mundo es uno. Aunque no existan las creaciones de este universo es uno, y aunque todas las creaciones existan, es también uno. Sólo la persona cuya mente se haya hecho la mente de la Verdad luego de haber retornado al origen, podrá saber esto.

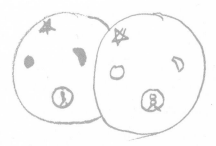

La era del flujo natural

El flujo natural es la forma de vida de la Gran Naturaleza y es la forma de vida de la Verdad. El flujo natural no tiene pertinacias ni posee esa mente, por esto su forma de vida es tal como se presentan las cosas. Comúnmente pensamos que vivir como se presentan las cosas es vivir con imprudencia, pero es vivir sin trabas ni choques aunque se realicen todos los actos. Esto es porque la mente, se ha hecho la mente de la naturaleza.

La naturaleza que es este mundo, nos proporciona oxígeno, agua y todo lo necesario pero no lo tiene presente. Como esto, hacer algo para las personas del mundo sin tenerlo presente y vivir con la mente de la Gran Naturaleza es el amor verdadero y es la afección verdadera. El amor verdadero y la afección verdadera es no esperar del otro; así como la naturaleza brinda, brindar sin tenerlo presente será únicamente el amor verdadero y la afección verdadera.

Qué libres serían la mente de las personas del mundo si viviesen de esta manera. No habrá choques ni trabas, habrá confianza mutua, amarán más al prójimo que a sí mismo y uno estará feliz de vivir en este mundo. La mente humana se hará la mente divina y vivirá la vida del flujo natural.

Ahora es la era en la que el hombre se completa, ahora es la era del flujo natural y es ahora la era en la cual el mundo se unifica. Es ahora la era en la que la mente de todos pueden ser unificados, ser la mente de Dios, la mente correcta. Por esto es ahora la era de vivir como el flujo natural. Esta es la era del flujo natural.

El propósito del nacimiento y la vida del hombre en este mundo

Innumerables personas han venido a este mundo y se han ido pero no hay nadie que sepa de dónde han venido y a dónde se han ido. Sea como sea, los que se han ido han desaparecido del mundo. ¿Que diferencia habría entre una efímera que vive un sólo día y el hombre que vive setenta a ochenta años? Visto desde la perspectiva del universo, estas personas que desaparecieron sin ningún sentido, fueron vidas sin propósitos. Se han ido llevándose consigo sus propias historias de vida. Al recordar esos eventos del pasado luego de que casi una vida haya pasado, uno se puede dar cuenta de que son cosas que no tienen ningún sentido.

Cuando el Creador ha creado al hombre lo creó semejante a él, pero el hombre ha creado su propio mundo centrado en sí mismo, copiando las existencias del mundo del Creador. De esta manera la civilización ha proliferado, pero el hombre ha perdido su naturaleza original y ha vivido hasta ahora centrado en sí mismo.

El deseo del hombre ha esparcido en todo el mundo las semillas humanas y cuando estas semillas humanas hayan poblado el mundo entero es cuando el Creador viene al mundo y realiza la salvación. Si el hombre hubiese vivido sin deseos, ya se hubiese extinguido y desaparecido. La vida del hombre, así como la vida de una mosca efímera, es insignificante. Pero cuando la semilla humana haya poblado el mundo, cuando su número sea el máximo, es cuando se podrá cosechar su mayor cantidad. Es ahora el tiempo de la cosecha. En este tiempo, en vez de morir cargando consigo sus penas, el hombre debería hacerse uno con la mente de Dios y vivir eternamente en el reino de Dios. ¿No sería el propósito de la vida del hombre en este mundo vivir eternamente?

Hombres, ustedes que desaparecen como el humo sin propósito, deberían pensar profundamente sobre ustedes mismos para así poder ir juntos al mundo eterno y vivir eternamente.

La vida del hombre no tiene sentido, en la vida del hombre no queda nada, en la vida del hombre sólo queda terminar desapareciendo, pero la existencia de Dios, Janolnim y Buda con gran compasión y amor ha venido a este mundo y lleva al hombre, quien su suerte es terminar desapareciendo, al reino vivo de la Verdad. Hará esto limpiando la mente que uno posee, cambiándola por la mente de Dios, haciendo que las personas del mundo renazcan dentro de la mente de Dios. Esto es ahora, la era de la salvación del hombre. ¿Habría algo más importante que esto? ¿No has venido al mundo para realizar esto?

Desde que el hombre nace y vive en este mundo, la tierra

Desde que el hombre ha poblado la tierra, ha vivido hasta ahora matando y recreando en su mente incontables tormentos y aflicciones a lo largo de todo este tiempo inmensurable, y esforzándose por construir propias pertenencias.

Aunque el tiempo se vaya o venga, se han hablado sin certeza de que existe un mundo diferente a este mundo, que es pacífico y que es un lindo lugar para vivir. Sin embargo, como este mundo del que el hombre habla es abstracto y conceptual, no ha habido nadie en este mundo que sepa de este lugar. Incontables personas han quemado su preciada juventud tratando de hallar este mundo, e incontables personas han tratado de encontrarlo en diferentes religiones pero no lo han podido encontrar. Las palabras vanagloriosas de aquella persona espiritual que se ha ido, aparentan que ha logrado la Verdad. Pero si existe alguien que ha logrado la Verdad, seguramente debe poseer su método. ¿Si no posee el método, no serán simplemente fanfarrias?

¿Cuantos serán los que simplemente suspiraron frustraciones en el mundo oscuro sin poder lograrlo? Como no ha habido nadie que lo ha logrado, no ha habido un método que lo permitiera a otras personas. ¿No ha sido hasta ahora una era en la que solamente se ha hablado de la Verdad? ¿No es así en las diferentes religiones y en las personas que se autoproclaman haber logrado la Verdad?

Hasta ahora fue una era en la que solamente se hablaba de la Verdad, pero ahora es la era en la cual uno se hace la Verdad misma. Hasta ahora fue una era en la que solamente se hacía sumas dentro de la mente ilusoria de uno, pero ahora es la era de la sustracción.

El significado de estar vivo

Las personas piensan que las cosas que han nacido en el mundo están vivas y las cosas que no han nacido o que han desaparecido están muertas, pero es el hombre una existencia muerta. Las personas no están en unión con la mente del mundo eterno, sino que están encerradas en sus propias mentes. En otras palabras viviendo dentro de un mundo ilusorio que es su mundo mental, han tomado un sin fin de fotos de lo que ha vivido, construyendo así sus conceptos y hábitos dentro de los cuales uno está muerto.

Ha poseído el mundo dentro de uno, ha poseído todo lo que existe en el mundo dentro de uno creando así ilusiones, y seguirá viviendo creando más ilusiones. Como el hombre vive dentro de esa ilusión, sus pensamientos y juicios son ilusorios. Además, el preconcepto de que el hombre está vivo es falso, es incorrecto. Si el mundo entero es visto desde la perspectiva del hombre no hay nada que sea correcto. Pero visto desde la perspectiva del mundo que es la Verdad, cuando el hombre se muere, termina muriendo eternamente. Sin embargo, el hombre deberá haber nacido en el mundo Verdadero para que sea una persona viva sin muerte.

Estar vivo es haber ya nacido en el mundo y estar muerto es no existir en el mundo.

Dios

Aunque estamos viviendo con Dios, el hombre que vive dentro la mente humana falsa posee únicamente esta mente falsa e ilusoria. Como no existe la mente de Dios en la mente humana, el hombre no puede conocer la mente de Dios. Absolutamente todo lo que existe en este mundo, que es el mundo de la Verdad, incluso el vacío, absolutamente todo es Dios; pero como el hombre no vive en el mundo, sino que vive dentro de una copia del mundo, no puede ver ni saber de Dios.

La totalidad de este mundo es Dios, es el cimiento original, el sitio anterior a la creación de todas las existencias en donde todas las formas materiales del universo se han sustraído; es el origen, la fuente y el Creador.

La existencia que está presente en este sitio es el Chong y Shin, el Alma y Espíritu y esta existencia es Dios.

Es una existencia absoluta que existe invariablemente de que existan o no las creaciones del universo. Es la existencia de la Verdad que existe antes y después del comienzo. Como esta existencia es inmaterial, sólo aquel que se ha hecho la mente de esta existencia puede ver y saber de esta existencia.

Dios es el señor, el dueño del cielo y tierra; toda creación existente en este cielo y tierra es Dios y es asimismo el hijo de Dios. Dios es la existencia de la Verdad, es una existencia viva, eterna e inmortal. Cuando esta existencia venga al mundo como hombre, todas las creaciones del cielo y tierra nacerán en el reino de Dios y vivirán eternamente. Como este mundo nace y vive en el reino de esta existencia, esto es el Cielo. Aunque Dios esté vivo, es una existencia que está fuera de los preconceptos y hábitos del hombre.

Creación 1

Existen dos tipos de creaciones: material y espiritual. La creación material sucede cuando se disponen en el mundo todos los factores necesarios para la aparición de todas las formas existentes en el mundo. Estos factores son los cuerpos celestiales en el cielo, la tierra y el agua en la Tierra, el viento y la temperatura. Visto esto desde la perspectiva del Creador, el cimiento original, es el Creador mismo que ha realizado todas las creaciones.

Todas las existencias de este mundo provienen del origen, el Creador, y retornan al Creador mismo cuando la materia desaparece, siendo esto el principio de la naturaleza. El tiempo de cosecha de la naturaleza vendrá y en ese tiempo el Creador hará posible que todo renazca como el Alma y Espíritu del universo. Esto significa que cuando el Creador resucite a uno en el reino del origen, uno podrá vivir como el origen mismo y es justamente en esta era en la que uno puede hacerse la existencia de la Verdad desechando la falsedad. Esto es la creación del Alma y Espíritu.

Definición de la Verdad

El significado correcto de la Verdad es que es una existencia eterna, inmutable y viva. La existencia eterna, inmutable y viva es el Chong y Shin del universo anterior al gran universo. Esta existencia es el cielo anterior al cielo. El cielo anterior al cielo es el espacio vacío que es el gran universo mismo y es esta la existencia de la Verdad. Esta existencia es el Alma y Espíritu del gran universo mismo.

Ésta es una existencia inmaterial que existe por su propia cuenta, dentro de todas las creaciones de este universo. Esta existencia es el origen y la fuente de todas las creaciones del universo. Aunque no exista, existe; existe pero no tiene formas. Esta existencia no puede ser visto ni entendido desde la mente humana. Sólo es posible saber de esta existencia cuando la mente de uno haya ido más allá de la mente humana y se haya hecho esta existencia misma. Si el hombre renace con el Alma y Espíritu de esta existencia, el hombre se hará la Verdad misma y por lo tanto tendrá vida eterna y no morirá.

Esta existencia que es la Verdad, Chong y Shin y Dios inmortal que existe como el universo mismo, existe tal como es sin variaciones aunque innumerables creaciones se formen o no. Sin renacer con el Alma y Espíritu de este reino, no habrá nada que sea eterno. Renacer en el reino del Alma y Espíritu, que es el origen de toda la materia, con su Alma y Espíritu, es la completud del universo y es hacerse la Verdad misma.

¿Usted conoce el mundo más allá?

Desde hace tiempo, muchos han hablado acerca del mundo más allá. En el budismo se dice que uno sigue a sus relaciones personales y a su karma, así como también, se dice que el que ha obrado bien va al paraíso o de lo contrario va al infierno. En el cristianismo se dice que si uno ha vivido obrando bien y cree en Jesús va al Cielo y si es una mala persona y no cree en Jesús va al Infierno.

Cuando de a poco se van muriendo las personas que nos rodea y vamos a un funeral, observamos que se vela a la persona siguiendo las formalidades de sus religiones, pero cuando una persona cercana fallece no hay nadie en este mundo que sepa con certeza a dónde es que se ha ido. Por eso cuando escucho hablar a la mayoría de las personas en los funerales sobre dónde es que va el hombre después de la muerte, veo personas que creen lo que está escrito en las escrituras de sus religiones y los ateos dicen que uno desaparece cuando muere.

Si nosotros sabemos perfectamente acerca del hombre, será muy fácil entenderlo. El hombre, desde que nace toma fotos de este mundo y hasta el presente ha tomado fotos de todas sus experiencias de vida, de lo que uno hace en el presente, de su familia, hijos, enemigos, dinero, amor y hasta el honor. El hombre, como su mundo mental está superpuesto con el mundo, no sabe que está viviendo en su propio mundo mental y cree erróneamente que vive en el mundo. Uno no es una persona del mundo, sino que es una persona de su propio mundo mental. Dentro de su mente uno tiene conflictos, ama, odia, gusta y disgusta y trata de realizar su conciencia de inferioridad.

La persona que vive dentro de su propio mundo mental es falsa y como es un mundo delusorio inexistente, cuando el hombre muere, termina muriendo eternamente en ese mundo delusorio. En otras palabras, aunque el hombre se vaya siguiendo a su karma y a sus relaciones personales, en definitiva es un mundo delusorio inexiste en el mundo. Esto es el Infierno.

Las creaciones que existieron en este mundo, que provengan de la Verdad y retornen a la Verdad que es el origen, es el principio del mundo; pero todas las personas de este mundo terminan muriendo en un mundo mental que uno mismo ha creado. La verdadera vida es destruir el mundo mental de uno, retornar al cimiento original que es el Creador, el origen y la Verdad, y nacer aquí para que el hombre pueda vivir eternamente. Aunque esto sea el Cielo, como no existen personas justas, si el hombre no se arrepiente de sí mismo, todos terminarán muriendo. Es terminar siendo un sueño inexistente en el mundo, que es la Verdad. Solamente la persona cuya alma y espíritu de la Verdad, que es el origen del mundo, haya nacido vivirá. Como las personas no tienen el alma y espíritu del mundo, se terminan muriendo. Uno debe arrepentirse sin cesar y debe ir al cimiento original que es la Verdad y cuando su alma y espíritu haya resucitado vivirá eternamente.

¿Cómo uno puede morir si no muere estando vivo?

Este universo, el espacio vacío sin materia, ha existido antes de mi nacimiento y existe ahora sin importar que yo haya nacido o no. He traicionado a esta existencia que es el dueño y el origen, y he vivido en mi propio mundo mental que no es la mente de esta existencia, siendo la vida que viví, un sueño, he vivido dentro de ese sueño toda la vida. Si elimino el sueño que he soñado toda mi vida y a mí mismo que se encuentra dentro del sueño, entonces yo desaparezco y esto es la muerte completa. Uno deja de existir y queda solamente el cimiento original: esto es morir. La muerte es retornar al origen estando vivo, cuando ya no existen más pecados, karmas y hasta uno mismo.

Uno puede morir completamente cuando uno está vivo. Si el cuerpo de uno muere, entonces uno realmente morirá, por lo tanto uno debe morir y renacer estando vivo. La muerte es la desaparición del falso ser de uno. La persona que realmente ha muerto, ha retornado a la Verdad y ha renacido, es aquel que se ha hecho Dios y ha logrado la completud humana. El cuerpo y la mente de uno pueden morirse completamente únicamente cuando uno está vivo.

El que ha muerto es el vivo y el vivo es el que está muerto

El hombre vive pensando que uno mismo está vivo. Los que creen en religiones, viven creyendo que irán al Cielo cuando mueran. Sin embargo el hombre no está viviendo en el reino de Dios, sino que vive dentro de un mundo mental que uno mismo ha creado. Esto es porque el hombre ha falsificado el reino de Dios ya que su naturaleza es semejante a Dios y a su reino.

El hombre ha traicionado a Dios y vive creando su propio mundo. Dicho mundo, es inexistente en el mundo de Dios que es el mundo. El mundo del hombre es un mundo que ha dado la espalda a Dios, que es su enemigo. Por esto el hombre es pecador. Visto desde el cimiento original que es Dios, este es un mundo inexistente, ilusorio y sin vida, que solamente uno posee. Es un mundo en el cual uno piensa y vive de acuerdo al contenido de su mente falsa.

El hombre es una entidad inexistente, es incompleto. Han habido incontables personas que han tratado de encontrar y lograr la completud humana sacrificando su preciada juventud y su vida entera incluso a través de religiones pero no han podido lograrla. Por más que una persona incompleta la encuentre, será de todas maneras incompleta.

Desde que la Tierra ha estado presente, incontables existencias la han poblado. Absolutamente todas estas existencias terminaron desapareciendo. Provienen del cimiento original y el sitio a retornar es el cimiento original. Esto es el principio del mundo, pero sin poder entender su significado, el hombre ha terminado desapareciendo en vano sin poder retornar al origen luego de vivir en su mundo inexistente de sueños.

El mundo mental de uno es un mundo inexistente de fotos que no existe en el mundo. Todas las personas que vivieron en este mundo de fotos terminaron desapareciendo. El mundo de fotos que uno mismo ha creado desobedeciendo a Dios, a la Verdad, es el Infierno. Esto es lo mismo que el hombre esté viviendo dentro de una foto o dentro de un video. Así como un sueño, este mundo no existe cuando uno despierta.

Este es un mundo creado por el hombre que ha tomado fotos de lo que ha vivido en el mundo a partir de sus ojos, nariz, boca, orejas y el cuerpo. Visto desde la perspectiva del gran universo, del cimiento original, la vida del hombre que es inexistente en el universo, es un sueño que ni siquiera dura un segundo y desaparece. Esto es el mismo motivo por el cual las personas de antaño describieron la vida del hombre como un sueño, que no tiene sentido, que es fútil y que es como una burbuja de agua.

Si uno desecha y mata a su propio ser, siendo consciente de que es una vergüenza ante el cielo poseer un mundo falso y vivir en él, el cielo se hará suyo y uno vivirá allí. Como la persona que intenta morirse vive, el que se ha muerto es el que se ha salvado. El significado de que el vivo es el que está muerto significa que está muerto por ser falso e irreal.

Falso y real

Falso significa que no existe y real significa que existe. Falso, es el mundo mental del hombre que uno mismo ha construido y real, es el mundo. Absolutamente todas las creaciones de este mundo provienen del cimiento original que es el origen y la fuente, y retornar a este lugar es el principio del mundo.

La única existencia real es el cimiento original. El hombre ha tomado fotos del mundo real dentro de sí mismo, y como vive allí, el hombre está muerto y es falso. Absolutamente todas las existencias del mundo que han venido del cimiento original, aunque existan es el cimiento original y aunque desaparezcan, seguirán siendo el cimiento original mismo; por lo tanto, el cimiento original es la única existencia real.

Además, todas las existencias del mundo deben renacer como una existencia real en el mundo de la Verdad, en el cimiento original, para que sean reales y existan. Esto es ser una existencia real y eterna sin muerte. La existencia real está viva y el falso, es la muerte y es inexistente.

Las personas no saben cómo recibir a Jesús

Las personas de este mundo, por estar viviendo dentro de un mundo mental que es creado por uno mismo, esperan una venida delusoria de la Verdad según los estándares y creencias de uno. Creen además, que la Verdad vendrá solamente para uno mismo y lo único que uno desea es beneficiarse de esta existencia. Esperan la venida de Jesús, el bondadoso del amor que por lo menos realiza la salvación.

Jesús es la existencia de la Verdad. Es la persona cuya mente se ha hecho uno con Dios, con el Creador. Jesús es aquel que su Alma y Espíritu ha nacido en el reino del Creador. Si hay un mendigo que vive debajo de un puente que tiene piojos, forúnculos, capas y capas de suciedad en su piel y enfermedades contagiosas incurables y que este mendigo es Jesús; cuando les pregunto a las personas si lo pueden llevar a sus casas, bañarlo, curarlo y obedecer a todas sus peticiones, es claro que todos son renuentes a esto.

Así como dice en la Biblia, cuando uno abandona a su familia, sus riquezas y hasta a uno mismo, es cuando uno puede recibir a Jesús y es cuando la mente de uno se unifica con la de Jesús siendo esto la fe genuina. Sin embargo como el hombre vive únicamente para sí mismo con una mente egoísta que está centrada en uno mismo, la gran misericordia y el verdadero amor es hacer que el hombre deseche sus preconceptos y hábitos falsos del mundo mental humano, convertir esta existencia falsa por la existencia de la Verdad y llevarlo al reino de la Verdad. El hombre falso cree que será llevado al Cielo tal como uno es. ¿No va en contra de la razón el hecho de poder ir al reino de la Verdad poseyendo toda la falsedad del hombre?

La existencia de la Verdad, Jesús, certeramente dirá al hombre ilusorio que para limpiar sus pecados que son ilusorios, debe desechar absolutamente todos sus preconceptos y hábitos. Obligando al hombre que haga lo que más detesta hacer y prohibiéndole lo que más le gusta hacer, hará que cambie su mente por la mente de Dios. Como su palabra es ley, el hombre deberá morir cuando le sea dicho que muera y deberá desechar cuando le sea dicho que deseche. No deberá hacerlo cuando le sea dicho que no haga tal cosa. En el momento que deseche todo, cuando su mente haya superado absolutamente todo, certeramente podrá hacerse la mente de Dios.

Jesús, a los 33 años dijo "Dios mío, Dios mío, ¿por qué me has desamparado?", "No se haga mi voluntad, sino la tuya." Aceptando la muerte, Jesús ha recibido a Dios en su mente y es alguien que se ha hecho la mente de Dios mismo. Asimismo, aquel que ama más a la Justicia que a sí mismo es el que puede ir al Cielo. Pregúntese a sí mismo si podría sacrificarse como Jesús en nombre de la Justicia en este mismo instante. El que no pueda sacrificarse, terminará muriendo. Morirá porque no tendrá el reino de la Justicia y porque su Alma y Espíritu de la Justicia no habrá podido nacer.

Uno debe arrepentirse ante Dios, que es la mente de la Verdad
Que existe dentro de uno mismo

Nuestro propósito de realizar el arrepentimiento es para ir desde el mundo falso al mundo de la Verdad y nacer allí. Es para desechar la falsa mente de uno mismo para que se haga la mente de la Verdad. El arrepentimiento es también desecharse a sí mismo que es pecador e ilusorio, para que el propio ser de uno se haga verdadero. Desechar la falsedad que está dentro mío es desechar el pecado falso que está dentro de mi mente. Para esto, hay que continuamente desechar hasta que las imágenes de mi mente desaparezcan por completo y quede solamente la Verdad.

El arrepentimiento debe hacerse ante Dios, que es la mente de la Verdad, hasta que el pecado desaparezca; pero el arrepentimiento que practican las personas que son fantasmas falsos e ilusorios, simplemente terminan siendo un grupo de fantasmas. Estas personas, dentro de sus mentes, terminan siendo fantasmas en una secta. Aunque el fantasma se arrepienta seguirá siendo un fantasma. Esto es porque se hace desde un mundo de fantasmas que está dentro de la mente del fantasma.

En vez de arrepentirse ante Dios que está dentro de uno mismo, si uno se arrepiente ante una mente humana, como dentro de la mente de estas personas persiste el pecado, como siguen poseyéndolo, estas personas construirán con esta delusión otra delusión diferente. Esto será transmitido en acciones e innumerable errores serán cometidos. Esto en términos de la medicina es llamado trastorno delirante excesivo colectivo. Para los que realicen el arrepentimiento con un líder que es falso, como esa delusión se continúa infinitamente hacia la falsedad, la persona que padece de trastorno delirante colectivo, finalmente asciende rápidamente a la derrota. No existe nada más peligroso que esto en este mundo. Todas estas personas terminan siendo locos con trastorno delirante excesivo. Terminan siendo un mal en esta gran sociedad sin poder ser realistas y quedan locos sin saber que lo están.

¿Dónde se encuentra el Cielo?

Hay muchas personas que piensan sobre la muerte y le tienen curiosidad, pero no ha habido nadie que pueda dilucidar esa duda. En las escrituras de las distintas religiones expresan que hay un paraíso en donde Buda vive, en el caso del budismo; el cielo en el caso del cristianismo y cada religión habla de su propio inframundo. Sin embargo, no hay persona que sepa discernir cual de todos es el correcto.

De todas maneras, el cielo existe y el infierno es un mundo inexistente. El hombre ha venido a este mundo, y al tener una vida regida por el tiempo, está en una encrucijada de vida o muerte en su corto tiempo de vida, pero no hay nadie en el mundo que sepa de esto. Esto es porque el hombre, al no tener noción de lo que es la sabiduría, no puede saber si vive o se muere.

El hombre vive en la Tierra aproximadamente setenta a ochenta años y han habido billones de personas que la han habitado y se han ido. Lo certero es que ya han desaparecido del mundo y no son pocas las personas que piensan que ellos terminaron yendo a otro lugar.

De todas maneras el principio del mundo es que yo existo porque existe el suelo; a su vez el piso existe porque la Tierra existe; y la Tierra, las estrellas, el Sol y la Luna del cielo existen porque existe el vacío del universo. Dicho vacío es el cimiento original. El cimiento original es el dueño del universo y únicamente este cimiento original es la Verdad.

Que el hombre nazca y viva en este mundo, es lo mismo que un simple sueño de atardecer. Desde el punto de vista del cimiento original que es una existencia que ha existido desde tiempos remotos y existe eternamente, la Verdad, el hombre sueña un sueño que ni siquiera dura un segundo.

El cimiento original, que es el sitio anterior a la creación material de este mundo, es la Verdad, es el dueño del universo y es el Creador. Esta existencia es inmaterial, inmortal y es una existencia viva. Esta existencia es el dueño del mundo, es el Chong y Shin del universo que es el dueño del mundo y es el Alma y Espíritu del universo. De este universo, lo único que es eterno es esta existencia. Para que el hombre viva eternamente, si no nace con el alma y espíritu o el cuerpo y mente de esta existencia, no habrá eternidad en este mundo.

El mundo mental humano, que es el pecado y el karma, es una copia de existencias del mundo real. Estar vivo en el mundo es la Verdad, pero como la mente humana es una cinta de video que es el mundo mental de uno, el hombre no vive en el mundo, sino que vive dentro de esa cinta de video que es su propia mente. Este mundo es el infierno, es inexistente por ser falso ni existe en el mundo. Visto desde el mundo, el mundo mental creado por el hombre es inexistente. El mundo ilusorio de esta cinta de video tampoco existe en el mundo.

El hombre no vive en el mundo, sino que vive dentro de su propia mente que es una copia del mundo que está superpuesto con el mundo; por esto cuando muere, termina desapareciendo. Sin embargo si uno elimina el falso mundo mental que uno mismo ha construido quedará solamente el cimiento original.

Si lo pensamos nuevamente, el cimiento original ha existido antes de que yo haya nacido y sigue existiendo luego de mi nacimiento. Y aunque yo muera, seguirá existiendo. Si no cambio mi mente por la existencia de la Verdad, el cimiento original, no existe el reino eterno. Aunque desaparezca mi mundo mental y yo también desaparezco, este universo seguirá existiendo ¿no es así? La materia de este universo existe porque existe mi mente, y aunque se elimine por completo a toda la materia del universo, el cielo vacío seguirá existiendo. Cuando uno se haga este cielo vacío y renazca en este cielo, nunca morirá.

Sólo aquí es el reino en donde no hay muerte y es aquí en donde se vive eternamente. Si el hombre desecha su mundo mental y a sí mismo que vive dentro de él, entonces tendrá la mente del cimiento original. Si uno posee dentro de sí mismo esta mente, se hará la mente del mundo. Dentro de esta mente, el alma y espíritu verdadero de uno debe renacer estando vivo con los materiales de la Verdad, para que cuando el cuerpo desaparezca, este cuerpo y mente que es el alma y espíritu pueda vivir eternamente en este mundo verdadero.

Es aquí donde existe el Cielo. Dios y Buda existen en la mente de aquel que se ha hecho uno con la mente del mundo y es aquí el Cielo. El que se ha hecho esta mente, su mente será la mente del mundo. Absolutamente todo lo que existe en este mundo, vivirá eternamente tal como es en el reino del Alma y Espíritu que es aquí y en esta tierra.

Como algunas personas y en algunas religiones dicen que uno vivirá aquí en esta tierra con este cuerpo, piensan que es este cuerpo el que vive eternamente en esta tierra; pero el principio de la naturaleza dicta que el cuerpo humano, como es materia, no puede vivir eternamente. Así como los científicos estiman la vida media de los cuerpos celestiales y de la Tierra de unos cinco a quince billones de años, no es la materia la que vive, sino que es el alma y espíritu de la Verdad, el cimiento original, lo que puede vivir eternamente aquí en esta tierra y justamente aquí será el Cielo. Para renacer y vivir en el Cielo, uno debe desechar su mente del pecado y karma que ha dado la espalda al mundo y debe hacerse la mente del mundo. Dentro de esta mente, el mundo y uno mismo debe renacer con el alma y espíritu para poder vivir eternamente en el Cielo.

Creación 2

Hay dos aspectos de la creación: espiritual y material. El Creador, el dueño de este mundo, no es una existencia material sino que es inmaterial, es el cielo de los cielos, es el origen del universo, es en otras palabras el universo anterior al universo. Esta existencia es Chong y Shin (Alma y espíritu). En medio de la nada absoluta, Chong y Shin existe; Chong es el vacío absoluto y Shin es Dios que existe en este vacío absoluto. Todas las existencias de este universo son la representación de esta existencia.

La creación de este mundo se hizo por sí sola cuando las condiciones fueron justas. El mundo material se crea por sí sola de acuerdo a las condiciones. Al existir el cielo, la Tierra y los cuerpos celestiales, las existencias que existen aquí en la tierra fueron creadas por el Creador Todopoderoso de acuerdo a las condiciones del ambiente; éstas son su representación e hijos del Creador. Y como es un mundo que tiene las formas del Creador, es Todopoderoso.

Es el principio del mundo, el principio de la Verdad, provenir del Creador y retornar al Creador. La creación espiritual es hacerse uno con el Creador; el alma y espíritu que ha renacido como Chong y Shin, la esencia del Creador, como es la Verdad, no morirá.

La razón por la cual la creación material y espiritual lo puede hacer solamente el Creador, es porque el Creador es el dueño y es el único que puede realizar la creación.

La creación material lo ha hecho el Creador y la creación espiritual es posible cuando el Creador haya venido como hombre y es cuando podrá salvar al mundo entero y llevará al hombre al reino del Chong y Shin. Cuando exista el Creador dentro de mi mente, cuando exista el reino del Creador dentro de mi mente, es cuando mi mente se habrá unificado con la mente del Creador. Sólo así uno podrá renacer con las mismas propiedades que el Creador, con el Alma y Espíritu. Solamente el Creador puede realizar la creación. El Creador puede realizar la salvación porque permite al mundo renacer y vivir en el reino del Creador.

El hombre no vive en el mundo ni es la Verdad, es falso y está muerto

Originariamente este mundo es perfecto, originariamente está ya despierto y está vivo. Pero como el hombre no ha nacido en este mundo, no ha nacido en el mundo perfecto. El gran universo es el origen de todas las creaciones, es el Creador mismo y es el cielo antes del cielo anterior a todas las existencias.

Pensemos por un momento que somos esta existencia. De esta existencia completamente vacía explotaron los gases y se formaron las masas incandescentes y al enfriarse formaron las estrellas. Pero visto esto desde la perspectiva del infinito universo, la estrella y el universo son uno: esa estrella es el universo y ese universo es la estrella. Todo lo que existe en este universo es uno con el universo. Si se desposee de una mente falsa, así como el universo, entonces el individuo es el todo y el todo es el individuo. Absolutamente todo es uno; aunque exista formas o no, todo es uno.

Todas las creaciones que han nacido en este universo son creaciones perfectas, son el universo mismo y por lo tanto no tienen muerte. Aunque la forma física desaparezca, como su alma y espíritu de esa forma es la Verdad, viven eternamente y son inmortales. Al ser entidades que son uno con el universo verdadero no tienen muerte.

El origen de este universo es Energía y Dios, y la totalidad de las formas existentes son la representación de esta existencia. Absolutamente todo lo que existe en este mundo es la forma de esta existencia.

Sin embargo, el hombre no ha nacido ni existe en el mundo. Como vive dentro de su mundo mental, el cual es la sombra y una copia del mundo, el hombre no puede ser perfecto y vive dentro de su propia mente ilusoria. Como esto no es real sino que falso, el hombre está muerto. La Verdad es el mundo y la falsedad es la mente de uno que ha tomado fotos del mundo. Vivir dentro de un mundo mental que es una copia del mundo, no es vivir en el mundo sino que es vivir en una foto. Esto es inexistente. Incluso la persona que vive en un mundo inexistente, es inexistente por ser falso.

El alma y espíritu del hombre

Comúnmente muchos se cuestionan sobre la existencia del alma y el espíritu en el hombre, pero el principio del mundo es que toda materia de este mundo provenga del origen y retorne a este origen. Esto es la ley del universo. Aquel que crea en la Verdad, en otras palabras, el que se ha hecho la Verdad misma, puede nacer en el reino de la Verdad y solamente el dueño de la Verdad puede hacer que su alma y espíritu renazca y resucite.

El hombre piensa que tiene alma, pero es una ilusión falsa. Esto es porque uno mismo que es falso, piensa que existe dentro de su mente falsa. Por lo tanto no es realmente un alma. Los que dicen que el hombre tiene alma y espíritu son los que han nacido en el mundo falso y hablan como si lo supiesen todo. Estas personas están muertas porque han nacido dentro de su propio mundo mental.

De todas maneras, la mente humana debe hacerse la mente de la Verdad y debe renacer en el reino de la Verdad. Los que han renacido, son las únicas personas que poseen el alma y espíritu eterno. El alma y espíritu del hombre es inexistente por ser una ilusión falsa que no existe en el mundo, pero la persona que ha nacido con las cualidades del origen, del mundo, vivirá por tener un alma y espíritu.

Provenir del origen y retornar al origen es el principio del mundo

No existe nadie en este mundo que sepa el propósito del universo, ni nadie que sepa los principios del mundo. Comúnmente se habla sobre el cielo y el infierno en religiones, pero el cielo y el infierno del que hablan son falsos y delusorios.

Cuando nosotros pensamos siendo el gran universo que es el dueño del universo, sabremos todos los principios del mundo.

Todas las creaciones del universo y el hombre son hijos del origen. Es el principio del mundo provenir del origen y retornar a este origen. Pero todas las creaciones existentes en este mundo terminan desapareciendo ¿no es así? Aunque todo desaparezca, el origen seguirá existiendo ¿no es así? Renacer en este origen es ser Dios y aquí es el reino de Dios. Dios es una existencia que se ha librado de absolutamente todo.

Una persona que habla como si lo supiese todo y habla además de su mundo de fantasmas estando dentro de su propia mente, es alguien que dentro de su mente, una delusión ha nacido. Un ser falso nace en un mundo falso y habla como si lo supiese todo, pero Dios, aunque exista, no permanece en esa existencia y es además una existencia que se ha librado de todos los preconceptos y hábitos del hombre. Es el principio del mundo terminar desapareciendo cuando el hombre se muera, pero únicamente la Verdad que ya ha resucitado en el mundo, será inmortal y podrá vivir eternamente en el reino divino.

El infierno para las personas, es que su propia delusión viva en un mundo delusorio. Pero como esto no existe en el mundo, es inexistente. Lo que existe en el mundo si existe, pero lo que no existe es inexistente. Hay un dicho "tal como se ve y tal como existe es la Verdad" que significa que cuando la mente humana se hace la mente del mundo que es la mente de Dios, lo que existe, si existe y lo que no existe, no existe. Dicho esto otra vez, lo que no existe en el mundo es en su totalidad una delusión del hombre.

La relación entre el Creador y el hombre

La existencia del cimiento original que es el Creador, ha creado todas las creaciones del cielo y tierra que es este mundo. Esta existencia no es material sino que es inmaterial. Esta existencia numinosa existe como Dios y Alma, y es una existencia viva. Ésta es la existencia que ha realizado la creación material y es el Creador. Es todopoderoso porque todas las cosas de este mundo son las creaciones e hijos de esta existencia. Esto y aquello son la encarnación en formas de esta existencia. Como crea todo, es todopoderoso. Absolutamente todos los materiales fueron creados por esta existencia y son hijos de esta existencia y son a su vez esta existencia misma. Esta existencia que es el origen y el dueño, ha creado el mundo material, y es el principio del mundo de que la materia provenga del origen y retorne al origen.

Pero, para que todas las creaciones materiales de este mundo vivan eternamente, el mundo debe hacerse la mente del hombre. Y cuando este mundo sea resucitado con el cuerpo y mente de la Verdad, del cimiento original, es cuando este mundo vivirá en el mundo de la Verdad. Esto, por más que el hombre lo intente, no podrá lograrlo. Solamente cuando el dueño del mundo, el Creador haya venido como hombre, llevará al hombre a su reino y hará que el hombre nazca en ese reino y les permitirá la vida. Esto es la autoridad del Creador.

Incluso en la Biblia dice que si uno no renace a través de sus palabras no habrá nadie que viva y que solamente Dios podrá realizar la salvación. La creación espiritual puede ser realizado solamente por el dueño del mundo verdadero, el mundo de la Verdad.

La gracia de Dios no es su palabra sino que es su sabiduría

Hay personas que dicen que han recibido la gracia de Dios luego de haber rezado en las montañas. Otros dicen que han escuchado la voz de Dios y la han interpretado como una gracia de Dios pero en realidad están equivocados. Como el hombre vive dentro de su mundo mental, sea lo que sea que haya escuchado, ha provenido de su propio mundo mental sin ser realmente la voz de Dios, sino que simplemente han sido sonidos de su propia mente.

La verdadera gracia de Dios, es que la Verdad vaya entrando en el hombre falso de acuerdo a la cantidad de pecado que haya absuelto, de acuerdo a la cantidad del sucio pecado que haya eliminado, con su consiguiente entendimiento de la Verdad e iluminación. La persona que ha absuelto todos sus pecados y su mente se ha hecho uno con la mente de Dios, puede saber todos los principios del mundo porque se ha hecho la conciencia de Dios. Ya que la sabiduría del hombre es la sabiduría de Dios, será el verdadero saber y esto es la gracia misma.

Sólo aquel que absuelve sus pecados puede obtener la sabiduría de Dios. Sólo cuando el pecador muere y nace como el hijo de Dios, puede vivir eternamente y ser inmortal. El pecado del hombre es desobedecer a Dios poseyendo como le place, su propia mente.

Únicamente la persona que absuelve sus pecados, va haciéndose uno con Dios en la medida que sus pecados van absolviéndose. El sitio sublime de Dios es el sitio que existe cuando uno mismo muere. Sin realizar el funeral vivo de uno mismo que es morir estando vivo, todos los comentarios sobre Dios son palabras ilusorias, no son más que deseos egocéntricos. En varias ocasiones he escuchado que esas personas no han logrado nada incluso luego de haber escuchado esas voces. Son simplemente voces de sus propias expectativas.

Religión

Las religiones existentes en el mundo han tratado hasta ahora de escuchar y obrar las palabras de anteriores santos. Están creyendo sus palabras y le son fieles dentro de un mundo mental. Todos los anteriores santos han hablado de la profecía de que algún día el hombre completo vendrá a este mundo y que la humanidad se completará y podrá vivir en un mundo eterno sin muerte. Las palabras de los santos y su importancia fueron acerca de esta profecía.

Han dicho en el cristianismo que algún día el hombre completo vendrá al mundo y nos llevará al reino del cielo. En el budismo han dicho que Buda Maitreya vendrá al mundo y salvará al mundo. Todos infieren que el dueño del cielo de los cielos vendrá como hombre al mundo y permitirá la vida eterna en el cielo y en el paraíso, en el mundo en donde él vive. Esto es la salvación.

Es la ley del mundo que el hombre nazca en este mundo, viva una sola vez y muera. Ahora supongamos que no hemos nacido en este mundo. ¿Sin embargo el mundo seguiría existiendo no es cierto? Ese mundo existe porque yo existo, si ese mundo no existe solamente quedará el vacío del cimiento original, la forma original del universo. Esta existencia es el origen, la fuente, el Creador, el cielo de los cielos y la Verdad.

Como esta existencia es la Verdad, únicamente cuando ésta ha venido como hombre, puede el hombre renacer como la Verdad.

Sólo esta existencia será el Salvador. Las escrituras religiosas son profecías, las cuales describen que el hombre podrá renacer como la Verdad misma y podrá vivir eternamente en el reino de la Verdad. Solamente esta existencia que es la Verdad, es el hombre completo y es el único que puede realizar la salvación del hombre. Por lo tanto en las distintas religiones esperan la venida de esta existencia, pero como la mente del hombre vive dentro de una ilusión, como no existe la existencia de la Verdad dentro de su mente, el hombre no podrá saber de esta existencia de la Verdad aunque haya venido o se haya ido. Como el hombre mira únicamente la apariencia y no tiene la Verdad en su mente, no podrá saberlo.

Así como los judíos del pasado estuvieron aferrados al Antiguo Testamento de la Biblia y no han reconocido a Jesús, ni lo reconocen en el presente porque no se han podido desprenderse de sus interpretaciones preconceptuales; los religiosos de hoy en día, aferrados a sus escrituras, no serán diferentes a los judíos puesto que no podrán reconocer al Salvador aunque venga o se haya ido.

Las religiones de la era incompleta hablaron y transmitieron las palabras de santos, pero algún día llegará la era en la cual el hombre se completará y en ese período, en el período completo, la que permita al hombre completarse será la verdadera.

El hombre es incompleto y falso porque ha tomado dentro de su mente, fotos del mundo, del reino de la Verdad, y vive construyendo su propio mundo. El hombre es pecador y está muerto porque ha traicionado al dueño original que es el dueño del mundo y ha copiado en su mente las pertenencias del dueño, construyendo así su propio mundo. Vaciar y eliminar este mundo mental es el arrepentimiento y el perdón. Si uno destruye este mundo y uno deja de existir, uno podrá ir al mundo del dueño. Vivir luego de haber renacido en el cielo de los cielos, en el dueño, será aquí el reino verdadero del cielo, el paraíso. El sitio que realice esto, logrará el propósito primordial de todas las religiones. Las personas no deben estar aferradas a preconceptos incorrectos. Solamente la persona que encuentre el sitio en donde esto se realice y se arrepienta, vivirá.

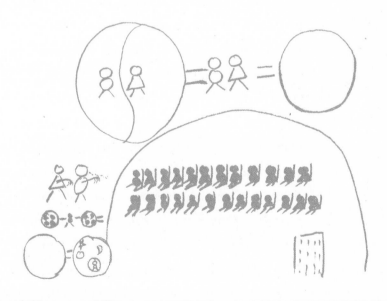

¿Por qué las escrituras de los santos no pueden ser entendidos ni comprendidos?

A pesar de que leemos y hasta memorizamos las escrituras sagradas, no hay nadie que sepa entender su verdadero significado. Éstas son escritas desde el punto de vista de la Verdad que es el mundo verdadero, pero si uno no lo puede ver desde esa perspectiva, no entenderá porque estará leyendo desde su propio punto de vista. Uno mismo no existe en el mundo verdadero porque vive dentro de su propio mundo mental que no es el mundo real. Como no existe el cielo verdadero dentro de uno, estas palabras sobre el reino del cielo no pueden ser entendidos ni comprendidos. Si uno logra salirse de sí mismo que es el mundo mental, uno se hace el mundo verdadero y cuando las escrituras sagradas sean vistos desde el mundo verdadero, no habrá nada que no entienda porque uno mismo se habrá hecho la escritura sagrada.

Como el hombre no sabe en este momento dónde está viviendo, vive una vida errante. Debe darse cuenta de que el lugar en el que está viviendo en el presente, es el infierno que es una cinta de video individual, y uno debe salirse de ese mundo ilusorio a través del arrepentimiento. Como la mente humana es diferente en cada una de las personas, aparecen numerosas sectas de una misma religión porque se interpretan las escrituras sagradas desde la mente de cada uno sin poder entender su significado genuino. Todas esas interpretaciones, ni siquiera hacen que el hombre se haga la Verdad, sino que terminan siendo simplemente un juego de palabras.

El camino genuino para hacerse la Verdad es hacerse el santo mismo y es en ese momento en donde uno lo sabrá todo. Esto es, cuando uno mismo que ha dado la espalda al mundo deseche el mundo de fotos que uno mismo ha construido, uno mismo se hará santo y por lo tanto lo sabrá todo.

La importancia del hombre

Cada vez que trato a las personas, lo hago con seria consideración. Les ruego una y otra vez, unas decenas de veces, para que se hagan la Verdad. Cuando les hablo, aparentemente me entienden, pero luego de un tiempo sus mentes cambian repentinamente y han habido muchas personas que dejaron de ser vistos en los centros de meditación. A lo largo de los años que he enseñado la Verdad he aprendido a través de varias experiencias, que no se puede confiar en la mente humana. Como siempre cambia, hay un dicho en coreano que hace referencia a su volatilidad: "se puede saber lo que hay en lo profundo del agua, pero no es así con la superficial mente humana." Pero lo que el hombre debe saber antes que nada, es que se vive sólo una vez. Si uno no consigue hacerse la Verdad en esta vida, en esta era de la vida eterna, uno termina perdiendo su oportunidad; por lo que yo ruego a las personas con preocupación y lástima una y otra vez, de que no cambien de parecer y limpien su mente. Pero el hombre que vive dentro de su pecado y karma termina yendo hacia su pecado y karma. Esto es la forma de su pecado y karma.

Incapaz de vivir como el río que fluye, como el tiempo que pasa, el hombre no puede vivir sin la mente humana. Por la codicia con la que uno intenta lograr la Verdad, el hombre aparentemente no puede lograrla, ya que su voluntad y su propósito son distantes a la Verdad. Si uno trata de lograr la Verdad no podrá conseguirlo, pero aquellos que piensan que uno mismo debe ser desechado y que uno mismo es la peor persona del mundo, logran la Verdad y la siguen. Me es evidente que los que piensan que su ser falso es superior, les es difícil e imposible de lograr la Verdad porque su ser superior intenta poseerla. La persona que absuelve sus pecados sabe que la Verdad es más importante que uno mismo y es justamente la persona que continúa meditando. Sólo aquel que ha desechado a su ser falso puede nacer como dios, su ser verdadero. En esta era de elegir entre la vida y la muerte, vivamos luego de haber limpiado nuestro pecado y karma.

El destino del hombre está entre terminar muriendo o vivir eternamente

A medida que vivimos la vida hay más momentos difíciles y arduos que momentos felices. En dichos momentos nos cuestionamos muchas cosas. Muchos ya se habrán cuestionado a dónde es que va el hombre cuando se muere. Pero no puede existir esa respuesta en el pensamiento del hombre. Ésta no es resuelta porque la conciencia de uno está muerta, uno no vive en el mundo sino que está viviendo dentro de la mente que uno mismo ha creado.

Como el hombre es incompleto, existen religiones y lugares en donde se busca la Verdad. El propósito final de estas personas es vivir. En otras palabras, buscan la manera de vivir eternamente y por esto creen en religiones, practican el Tao, y también existen lugares como Meditación Maum. Pero el método para vivir eternamente es que el hombre nazca en el reino del Creador que es el origen y la Verdad, de otro modo no habrá posibilidad de vivir eternamente.

Para poder vivir eternamente, debe ser en el reino eterno de la Verdad; uno debe ir a este reino después de haber destruido toda la falsedad de uno mismo. Si uno no renace en este reino, no habrá nadie que pueda vivir eternamente.

Al reino de esta existencia, el reino de la Verdad, puede ir solamente aquél que ha desechado completamente su cuerpo y su mente. A igual que Jesús cuando cargaba la cruz dijo "Dios mío,

Dios mío ¿por qué me has desamparado? Hágase tu voluntad y no la mía". Esto significa que estará junto a la voluntad de Dios, de la Verdad, abandonando a su propio ser. Ha amado más a Dios, a la Verdad, que a sí mismo. Jesús, por medio de su muerte, ha creado el puente para ir al reino de Dios.

Todo hombre que vive en este mundo es pecador. Cuando este pecador muere por completo queda solamente la Verdad y éste es el reino de la Verdad que es el Cielo y el reino de Dios. Si yo, el pecador, no muero por completo y no renazco como una persona justa, no habrá nadie que viva eternamente. Todas las personas de este mundo son pecadoras. Por lo tanto, uno debe obtener el perdón de todos sus pecados por medio del arrepentimiento, y dentro de su mente, debe existir el reino de la Justicia. Uno debe resucitar y renacer como Justo para poder vivir eternamente en el Cielo.

La mente del hombre debe hacerse uno con el reino de la Justicia y debe renacer en ese reino estando vivo, de lo contrario terminará muriendo eternamente. El que se destruye y se elimina completamente a sí mismo, el ser falso, es el que se ha conquistado a sí mismo. Sin eliminar al pecador, al falso y sin renacer estando vivo como la Verdad, como una persona Justa, no habrá nadie que viva eternamente.

Dentro de la mente humana existe Dios, Buda y el Cielo

En el budismo, si uno pregunta qué es Buda, dicen que "tú eres Buda y que tu mente es Buda". Aunque esto sea correcto, Buda es aquel que posee la mente de Buda, pero dentro de la mente humana no existe Buda, Dios ni el Cielo.

La mente humana, es un mundo que uno mismo ha creado haciendo copias del mundo. Como el hombre está viviendo dentro de ese mundo que uno mismo ha creado, que es un mundo que ha dado la espalda al mundo, este mundo ilusorio es falso e inexistente. Incluso el hombre, como vive en ese mundo ilusorio que es imposible que esté vivo, aunque viva pensando que está vivo, el hombre está muerto.

En otras palabras, el propio mundo es el real pero el mundo mental que ha tomado fotos del mundo es falso. El hombre es una entidad que vive dentro de una cinta de video que uno mismo ha producido. Es por esto que el hombre es incompleto y tiene religiones, limpia la mente, medita, practica el Do para lograr la completud humana. E incluso en este momento habrá incontables personas de distintas partes del mundo que se esfuerzan para lograr la completud humana.

El hombre que vive dentro de este mundo de fotos, es inexistente en el mundo, por lo tanto está muerto sin vida. Dentro de dicha mente humana, no existe Dios, Buda ni el Cielo. Si uno desecha esta mente y retorna a la mente del mundo, a la Verdad, en otras palabras retorna a la mente del origen, uno sabrá de Dios y de Buda porque dentro de su mente existirá Dios y Buda. Sólo aquel que posea el Cielo dentro de sí mismo, sabrá del Cielo.

Esta existencia del origen, la Verdad, es el dueño del mundo que ha realizado la creación del mundo y es el Creador. Cuando esta verdadera existencia se haga la mente de uno mismo, es cuando Dios estará dentro de uno mismo y también Buda y el Cielo.

Aquel que se ha hecho esta mente, poseerá la mente del mundo. Absolutamente todas las existencias de este mundo estarán dentro de uno y aquí será el Cielo. Además, Dios y Buda estarán dentro de uno. El mundo se hará la mente de uno. Aquel que posea dentro de su mente un mundo ilusorio de fotos, esto será el infierno y vivirá en él; y como esto es lo único que tiene, terminará yendo a este lugar. En otras palabras es terminar yendo al infierno. Sin embargo, aquel que posea la mente del cimiento original, de la Verdad, vivirá eternamente en el reino de la Verdad.

Es ahora el tiempo en el que la mente de todos se unificarán a través del arrepentimiento y la autorreflexión y vivirán sin guerras

Hasta ahora, ha sido la era en la que el mundo se ha movido por la mente humana, pero la mente humana se ha hecho el mundo y se ha abierto la era del flujo de la naturaleza. Cuando el hombre se libre de su mente egoísta y centrada en sí mismo, y cuando la mente del hombre se haga la mente del mundo y tenga una mente amplia, gozará de gran libertad al no poseer la mente humana.

A lo largo de la historia del hombre, han habido innumerables guerras en cada rincón de este planeta y han muerto una cantidad inmensurable de personas. La causa de estas guerras ha sido el deseo de posesión, afirmando y jactando con una mente cerrada que la postura de uno es la correcta y no así, la de los demás. Esto ha sido el resultado de la mente humana incompleta. Cuando la mente humana se haga la mente del mundo, todos se harán uno, pudiendo así, vivir entendiéndose con los demás. Y como no habrá ese deseo partidario de una mente estrecha, no habrán más guerras.

¿Qué es la Verdad y qué es la existencia de la Verdad?

Nosotros aprendimos en este mundo que la Verdad es eterna e invariable. Yo enseño que la Verdad es eterna, invariable y que es una existencia viva. Enseño sobre la Verdad que no pudimos aprender en el mundo, así como también sobre la existencia anterior a la existencia de la materia. En otras palabras, cuando eliminamos del universo las estrellas, el Sol, la Luna, la Tierra y hasta eliminamos la materia que existe en el aire, en el mundo quedará solamente el vacío.

Esta existencia viva existió antes del comienzo, existe ahora y existirá después de una eternidad. Absolutamente todo lo que existe en el mundo ha nacido de este vacío y esta existencia es el origen de la Verdad. Absolutamente todas las existencias provienen de aquí, aunque existan son esta existencia y aunque no existan también son esta existencia.

Esta existencia siempre ha existido, pero como esta existencia del origen no existe en la mente humana, el hombre no puede ver ni saber de ésta. No es posible ver ni saber de esta existencia si la mente de uno no se unifica con esta existencia. La mente humana es una mente que ha tomado fotos de existencias del mundo. Como el cielo que está dentro de las fotos no tiene vida, no es posible saber de esta existencia.

Esta existencia divina que está viva, ha existido antes del comienzo y existirá aunque el mundo desaparezca por completo. Esta
es la existencia cuyas diferentes religiones la nombran Janolnim,
Dios, Buda, Alá y el Creador. Es el dueño que ha creado todas las
creaciones del universo.

Es justamente el principio del mundo, la Verdad, que toda la
materia de este mundo provenga de aquí y retorne a este lugar. ¿A
dónde se han ido todas las personas, los animales y plantas que
han habitado la Tierra? ¿Han desaparecido, no es así?

¿No se han ido todos al vacío inexistente que es el origen y la
fuente? Esto es justamente el principio del mundo. Aunque exista
la materia es esta existencia y aunque no exista la materia sigue
siendo esta existencia.

Cuando esta existencia de la Verdad haya venido al mundo como
hombre, este mundo renace con su cuerpo y mente en su reino,
que es el Cielo, donde eternamente no hay muerte y hay sólo vida.
Este reino es el reino del Alma y Espíritu, que es anterior a la existencia de la materia. Es el reino del Padre Santo y Espíritu Santo,
es el reino del Sambhogakaya y Dhammakaya y es el reino del
Chong y Shin.

El sitio en donde el mundo material resucita y vive como el
Alma y Espíritu del origen, en el reino del origen, es justamente el
Cielo. ¿Acaso no sabe que no existe material que sea eterno en este
mundo? Sin embargo, así como el cielo del universo es eterno, que
es la existencia de la Verdad, el único camino a la vida eterna es
hacerse la Verdad misma; esto es, renacer con el Chong y Shin que

es el Alma y Espíritu del cielo original que es el cielo de los cielos.
La Verdad es existente, eterna, invariable y viva. Es el cielo vacío
que queda luego de sustraer absolutamente toda la materia. Esto
es el origen, es la materia original y es la Verdad.

Idealismo

El idealismo es la Verdad misma, es el estado completo.

El idealismo es tener pensamientos y acciones orientados a la Verdad y es realizarse como la Verdad. También, vivir luego de haber nacido en la Verdad es una vida ideal.

La razón por la cual el idealismo no se ha realizado en religiones, aunque su objetivo haya sido éste, es porque no poseen el método para llegar al estado del idealismo y es por lo mismo que solamente hablan del idealismo a través de escrituras sagradas no pudiendo así, alcanzar el mundo ideal. Como estas escrituras son interpretadas por personas que no han ido al mundo ideal, el pensamiento del hombre se ha hecho la escritura misma habiendo así miles y miles de diferentes sectas religiosas. Alcanzar el mundo ideal y renacer en el mundo ideal mismo, es justamente el verdadero idealismo y es cuando se podrá realizar este mundo.

Su método es el siguiente: cuando uno se elimina ignorándose a sí mismo que es un ser falso, es cuando queda solamente el origen, y cuando uno renace en la mente de este origen, será justamente el mundo ideal.

Pensemos por un momento que yo no he nacido. Aunque no haya nacido, el mundo existe. Aunque no se hayan creado la Tierra, la Luna, las estrellas y todo lo que existe en la Tierra, el cielo vacío que es el vacío mismo seguirá existiendo. Esto es el origen, la fuente y el Creador que es Dios. Cuando uno retorna a la mente de esta existencia y renace aquí con las cualidades del cielo vacío, será entonces aquí el Cielo y el mundo ideal.

Vivir pensando y actuando para ir a este mundo y para los que han llegado a este mundo es el idealismo.

Cuando sea posible la realización del idealismo, el mundo ideal se realizará.

El verdadero mundo ideal es vivir siendo uno, sin barreras entre tú y yo, siendo el mundo una sola mente.

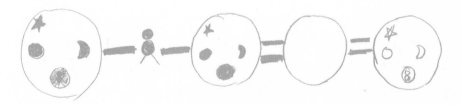

Cuando el dueño del cimiento original haya venido como hombre, es cuando se realizará la salvación

Aunque el mundo esté despierto

Veo que el hombre vive en un mundo ilusorio y no está despierto

Absolutamente todas las creaciones vienen del cimiento original

Viven en el cimiento original y retornan al cimiento original

Pero el hombre se ha perdido del cimiento original

Como vive poseyendo un mundo mental propio

Veo que en la mente del hombre no existe el cimiento original

Originariamente la mente humana y el mundo son uno

Pero el hombre ha tomado fotos del mundo en su mente

Y vive dentro de su propio mundo, que es el mundo ilusorio de
   fotos

Por esto el hombre está muerto

Aunque nada exista en el mundo, es el cimiento original

Aunque todo exista en el mundo, es también el cimiento original

La persona cuya mente se ha hecho el cimiento original

Vivirá siempre en el cimiento original

Pero el que vive dentro de su propio mundo mental

Como siempre vive dentro de éste

Cuando muere, al no tener vida, veo que termina muriendo

Se dice que en promedio, la expectativa de vida del hombre es de 76 años para el hombre y de 81 años para la mujer. El hombre no ha venido a este mundo para vivir estos años y desaparecer. Su propósito y objetivo es no morir eternamente y vivir en el reino completo.

Para que el hombre viva en este reino, uno debe saber que uno mismo es falso y que vive en el reino falso; en consecuencia, debe eliminar este reino falso. Debe nacer nuevamente en la Verdad, debe renacer nuevamente con las cualidades de la Verdad, sólo así podrá vivir eternamente. Únicamente cuando la mente de uno retorne al cimiento original estando vivo, que es la existencia de la Verdad, y cuando uno renazca con el cuerpo y mente de esa Verdadera existencia, habrá obtenido la conciencia original. La persona que estando vivo ha nacido nuevamente, ha renacido y ha resucitado en el reino de su mente, aunque su cuerpo muera, esa existencia que ha renacido seguirá vivo.

Supongamos que he muerto quemado en este momento. Sin embargo mi ser que ha nacido en la Verdad seguirá existiendo ¿no es cierto? Aquel que no tiene dentro de su persona el cimiento original que es la vida y la resurrección, como no tiene vida está muerto ¿no es así? Si muere, termina muriendo y luego desaparece. Cuando se elimina y elimina el cuerpo y la falsa mente de uno, únicamente el cimiento original, que es la existencia divina, seguirá vivo.

Todas las creaciones provienen del cimiento original, viven en el cimiento original, y el retornan al cimiento original. Esto es la ley natural del universo, pero la única existencia que puede salvar al mundo en este reino del cimiento original, es el dueño del cimiento original cuando haya venido al mundo como hombre.

Ha comenzado la era de la sustracción en la cual el hombre logra la completud humana

Desde que el hombre nace, al tener deseos de posesión, trata de buscar felicidad y satisfacción poseyendo, pero esto no tiene fin y no encontrará satisfacción ni felicidad.

Todos los deseos de posesión son expresiones de su conciencia de inferioridad, pero cuando no se puede poseer o realizar algo, éstos se convierten en resentimientos.

Uno deberá eliminarlos para que genuinamente desaparezcan los resentimientos.

Hasta ahora, uno ha tratado de vivir en este mundo poseyendo por su deseo de posesión, para hacerlo suyo. Este deseo de posesión es la forma de vida actual del hombre.

El mundo es inestable, la confianza entre las personas se ha ido perdiendo y el hombre vive perdido, persiguiendo su conciencia de inferioridad. En esta nueva era, en vez de aprender a poseer, el camino a la completud humana y a una mejor vida, es aprender a desposeer. No sólo se vivirá mejor porque uno piense que debe eliminar de su mente el apego al dinero, sino que uno lo transmitirá a sus actos.

Dentro de una mente llena de deseos de posesión existen muchas preocupaciones; una vida que persigue preocupaciones no moverá su cuerpo y el pensamiento dará lugar a más pensamientos.

Ha comenzado ahora la era de la sustracción de la mente, que hasta ahora, fue una era en la que se sumaba en la mente. Todo aquel que realice la sustracción de la mente en esta era de la sustracción, recobrará la naturaleza humana y la raza humana se unificará. La humanidad vivirá para otros y para el mundo y de esta manera el mundo se completará.

La completud humana se logra cuando se sustrae completamente la mente de uno mismo haciéndose la mente del mundo, de Dios. Así uno vivirá mejor al tener sabiduría y el alma y espíritu de uno que es la mente del mundo, podrá vivir eternamente.

La completud humana es sustraer por completo la mente humana, la mente que uno ha digerido.

La Mente Humana

Cuando la falsa mente del hombre se haga la mente real del mundo, podrá saber los principios del mundo, podrá ver correctamente el mundo y sabrá lo que es correcto. Únicamente cuando su mente se haya hecho la Verdad sabrá lo que es correcto y esto será correcto. Cuando el molde mental de uno sea destruido por completo junto a sus preconceptos y hábitos, uno podrá aceptar todas las cosas de este mundo. El mundo se hará un lindo lugar para vivir ya que el hombre se hará positivo, realista y activo dejando su mente estrecha y negativa.

¿Es la mente la nada?

Comúnmente las personas dicen que la mente es la nada. La nada se refiere a que es inexistente; la mente humana es ilusoria por lo tanto existe pero a su vez es inexistente. Sin embargo, la mente del mundo, la mente de Dios, no tiene formas pero es la existencia de la Verdad que realmente existe.

La mente verdadera es el vacío mismo que es puro, en donde se ha restado toda la materia de este universo. Aunque yo desaparezca y aunque el mundo desaparezca completamente, este cielo seguirá existiendo.

Algunos dicen que esta existencia no existe porque es inmaterial. Sin embargo, su Alma y Espíritu está unificado y certeramente tiene vida, siendo todas las creaciones de este mundo y el hombre la reencarnación de esta existencia. Si pregunta sobre la apariencia de esta existencia, la respuesta es que todo lo que existe en este mundo es la existencia de la Verdad.

Como esta existencia está viva, es el Creador omnipotente que ha creado todas las cosas del mundo. Cuando nuestra mente se haga uno con esta existencia, nuestra mente se hará uno con la mente del mundo y la persona que nace nuevamente en este mundo no tendrá muerte.

La mente de aquel que se haya hecho el mundo, el mundo mismo será su mente. La mente humana que es falsa, es inexistente

justamente porque es falsa, pero la mente del universo que es
Dios, no es la nada sino que una existencia real que es inmaterial.

La mente del hombre siente carencia, por lo tanto trata de devorar lo que sea

La mente humana posee ilusiones que son las carencias mismas, y como vive cargándolas es una persona con carencias. La carencia es la mente falsa, la que ha tomado fotos. La mente humana ha robado el mundo entero y lo posee todo dentro de su mente. Como esta mente vive dando la espalda a la Verdad, al origen, uno es pecador y carga karmas.

La especialidad de esta existencia, su naturaleza es devorar lo que sea. De esta manera, uno mismo que es falso se siente superior y fanfarronea su falsedad. La persona que se ha acostumbrado a esto, continuamente devora y devora pero a fin de cuentas quedan solamente sufrimientos y cargas y uno termina muriendo en esa tumba. La mente humana fue creada semejante al universo que es Dios, pero el hombre se traga todo lo que encuentra en el universo y esto no es la Verdad, sino que es falso.

La falsedad no existe, es una ilusión de uno mismo y es su pensamiento. En nuestro país el significado de sentir carencia es tener hambre, pero en realidad uno siente carencias cuando la mente es la que carga con carencias y justamente somos nosotros los humanos.

Nosotros los humanos, al no saber lo correcto, como no había un método que impidiera acumular mente, hemos vivido en este mundo con incontables guerras para el beneficio de uno mismo, sin poder amarnos unos a otros. Sólo nos hemos odiado y separado tu país de mi país, separado lo tuyo de lo mío. A fin de cuentas, esto es porque uno tiene un mundo mental propio al cual protege y defiende sus propios preconceptos y hábitos.

El hombre ha vivido sin saber de esto. Uno habla, actúa, y vive de acuerdo a lo que su mente ha acumulado. Sin embargo, el que posee la Justicia vivirá como el Justo en el reino de la Justicia. La Justicia, es eliminar toda la mente que uno ha acumulado. Entonces vendrá al reino de la Verdad y vivirá como Justo.

Toda la gente del mundo es mentirosa

Por lo general uno vive pensando que uno mismo es honesto, correcto y que lo suyo es correcto. Uno piensa que no ha engañado a los demás y que ha vivido haciendo el bien para los demás. Por su mente centrada en sí mismo, vive pensando que nada es correcto excepto lo suyo. Pero en el hombre, no hay nada que sea correcto. Los preconceptos y hábitos de uno no son correctos.

Visto desde el punto de vista del mundo, la Verdad, no hay nada que sea correcto en el hombre porque vive dentro de un mundo falso de fotos que es una copia del mundo, del origen, y estas fotos falsas son sus preconceptos y hábitos. Como todo esto es falso, es por ende incorrecto. Además, todas las palabras de uno surgen de las fotos falsas de su mente, por lo tanto son falsas. Todos los actos de uno también son falsos.

Cuando les digo a aquellos que dicen vivir para los demás, que las obras de bondad que han realizado para los demás fueron para ellos mismos, al escucharme esto, asienten con la cabeza. El hombre vive dentro de la sombra del mundo y esta sombra del mundo está dentro de uno. Como uno habla y vive poseyendo esa sombra, todo es mentira. El Justo es aquel que no vive dentro de la sombra, sino que vive en el mundo y sus palabras y actos son verdaderos. Únicamente la persona justa es el que no miente ni actúa falsamente, sólo habla verdades y realiza actos verdaderos.

Estamos viviendo equivocadamente

Nosotros, el hombre, la vida que vivimos es ilusoria y falsa; esto es porque el cimiento original, la Verdad del origen, el cielo mismo, es nuestro origen. Aunque yo no haya nacido en este mundo, el cielo vacío anterior a todas las creaciones del universo seguirá existiendo ¿no es así?

He venido al mundo humano con la percepción de mí mismo, yo que soy falso, vivo dentro de mi mente construyendo mi propio mundo. Visto esto desde el cimiento original, comparado al reino eterno del cimiento original, yo que soy falso, vivo soñando un sueño falso de setenta a ochenta años que ni siquiera dura un segundo.

Yo he traicionado a mi verdadero ser que es el cimiento original y vivo como me place dentro de un mundo falso de ilusiones, construyendo un mundo ilusorio falso ¿no es así? Dentro de ese sueño poseo a mi esposa, hijos, dinero, poder, familia y amor. No saber que esto es un sueño falso, que este sueño se ha hecho propio y vivir únicamente para sí mismo que es falso, acumulando fortunas en su propio mundo, es realmente ser un tonto. Es más, uno les hereda su fortuna a sus hijos y lo único que logra es agregarles más carga en su mundo falso. Vea cuán tonto es esto. El hombre es inconsciente del hecho de poseer propias pertenencias es sufrimiento y cargas. Aunque por la mentalidad de carencia del hombre, uno trata de cumplir su propósito obteniéndolo todo, el hombre termina muriendo eternamente dentro de esa carga con sufrimientos y cargas, por lo tanto ese mundo ilusorio no tiene sentido ni propósito.

Pero lo único certero que el hombre debe hacer y lograr es destruirse completamente a sí mismo por ser falso, hacerse la Verdad y vivir eternamente. Además, si uno no puede acumular bendiciones ni fortunas en el reino de la Verdad ¿podríamos decir que esta persona vive genuinamente en nombre de la Justicia? El que vive en nombre de la Justicia, es aquel que se abandona a sí mismo y acumula su dinero, amor, honor y familia en el reino de la Justicia. Esta persona es genuinamente un Justo y será inmortal con vida eterna.

El hombre cree certeramente que nace en el mundo y vive en el mundo, pero en realidad vive dentro de su falsa mente ilusoria que es un sueño inexistente y por esto es incompleto, en otras palabras es un fantasma inexistente. Sin saber el significado correcto del mundo Verdadero, al tener únicamente una mente egoísta, uno construye solamente su propio mundo guardando lo que ve, aprende y escucha, viviendo así únicamente para su propio propósito. Para uno, lo suyo es correcto y lo ajeno es incorrecto y vive hambriento sólo para sí, tragando constantemente una infinidad de emociones, sentimientos y pensamientos. Por lo tanto, el propósito que ha intentado lograr es en sí una carga pesada y sufrimiento.

Lo que el fantasma enseña a sus hijos y a los demás es como mucho su propia codicia, como éste es el ser que termina muriendo y desaparece, nosotros debemos enseñar la muerte antes que la vida, enseñar a desposeer antes que poseer, enseñar la inexistencia antes que la existencia, enseñar la Verdad antes que la falsedad y enseñar a vivir en nombre de la Justicia a las personas del mundo, a las personas que nos rodea y a nuestro cónyuge e hijos para que vivamos juntos en la Justicia, esto será la vida del Justo, la vida Verdadera.

No se deje ser una pobre existencia que deja morir hasta su familia e hijos dentro sí mismos heredándoles dinero, sino que debe vivir la vida del Justo, que es la Verdad, y obrar acorde para que esa bendición permanezca en el mundo Verdadero. El que no puede acumular bendiciones estando vivo, eventualmente tampoco podrá nacer en el Cielo. Por estar obsesionado de sí mismo que es el fantasma, su ser divino ha muerto.

El significado de que la palabra es la semilla

Comúnmente creemos que cuando insultamos o maldecimos a alguien, esas palabras se realizan tal como lo hemos pronunciado. El verdadero significado de que la palabra es la semilla, es que cuando el dueño del reino de la Verdad haya venido al mundo y le diga a uno que viva en el reino de la Verdad, uno podrá vivir; y cuando el dueño diga que muera, morirá. Esto significa que la palabra del dueño del reino de la Verdad es la semilla de la vida. Es la semilla porque esas palabras hacen que el Chong y Shin que es vida, nazca. Como esas palabras también permiten la vida a todo el mundo y salva al hombre, sus palabras son la semilla que es vida.

Dice en la Biblia que Dios ha creado al mundo a través de la palabra. Dice también que si uno no renace a través de la palabra de Dios, no habrá nadie que pueda vivir. La palabra de Dios es la vida misma y es además el dueño del reino de la Verdad. Estas palabras le pertenecen solamente a Dios.

La palabra de Dios es la semilla que es vida y la creación del reino de la Verdad se realiza a través de su palabra. Esto es la autoridad de Dios. Que la palabra sea la semilla o que a través de la palabra Dios realiza la creación del mundo y las personas, significan lo mismo.

La mente de Dios, más allá de la mente humana

Es lindo, es hermoso, es elegante

Es refinado, es pulcro

Es muy hermoso, es muy lindo

Es preciosa, es linda

Es radiante como una luna, tiene facciones marcadas

Es un hombre hermoso, es una mujer hermosa

Es feo, no se ve bien, no es elegante

No es refinado, no es pulcro

Es muy feo

No es brillante, no tiene facciones marcadas

Es un hombre feo, es una mujer fea

Quiero, amo

Es limpio, es hermoso

Es espléndida, es linda

No me gusta, no amo

Es sucio, es antiestético

No es espléndida, no es linda

Está muerto, está vivo

Es esto, es aquello

Incluso el juicio de que este mundo existe

Es en su totalidad la mente humana, es la mente del fantasma

Como el fantasma no tiene la mente de la Verdad, mira solamente lo externo

Pero Dios mira su centro, su mente

La mente de Dios existe más allá de los innumerables juicios del
hombre

La mente de Dios es una mente en la que absolutamente todo ha
cesado

No tiene conocimientos

No tiene gusto, ni olor

No ve, no escucha ni siente nada

Aunque la mente de Dios esté viva, no mora en su viva existencia

Aunque en su mente todo haya cesado, es una mente inexistente

Es una mente que es la sabiduría misma que realmente está viva

En ocasiones hemos escuchado que la mente no existe. Esto significa que aunque haya una cantidad inmensurable de delusiones que están apiladas en la mente humana, éstas son inexistentes. Hay quienes dicen que la mente de la Verdad no existe. Esto significa que esta mente no tiene formas o figuras y no es material, pero el Chong y Shin, el Alma y Espíritu que es la Verdad, existe. Solamente el cielo vacío quedará cuando se sustraigan absolutamente todos los materiales del cielo.

Este cielo vacío es la mente de la Verdad. Es el origen, la fuente, el cimiento original y es una entidad que está viva. El mundo de esta existencia es el Cielo; es el sitio en donde el mundo y las personas han ya nacidos como el Alma y Espíritu de esta existencia. La mente humana es una fotografía ilusoria, mientras que la mente de Dios es real, es existente. La mente de Dios es la mente del cielo vacío que es la mente de la Verdad, mientras que la mente humana es una mente ilusoria que ha tomado fotografías del mundo. El hombre vive dentro de su mente falsa y cuando deseche completamente estas fotografías, su mente se hará la mente de Dios.

La mente humana

Los ojos, la nariz, las orejas, la boca y el cuerpo del hombre, desde que ha nacido en este mundo, son usados como herramientas para tomar fotos de pertenencias del mundo y es la mente humana la que conserva esas fotos. Lo que nosotros llamamos pecado y karma es no poseer una mente unificada con el mundo. El hombre toma fotos del mundo y vive dentro de esas fotos mentales; por esto el hombre ha traicionado al origen, al mundo y como vive en un mundo creado por uno mismo, es pecador y es el que acumula karma.

Cuando el hombre muere luego de vivir en este mundo, termina muriendo porque vive en un mundo que no existe en este mundo real; éste es un mundo ilusorio. Sin embargo, el que ha absuelto todos sus pecados y ha nacido en la Verdad es inmortal y eterno. Como la mente del hombre está superpuesta con el mundo, el hombre no sabe de esto y piensa que vive en el mundo, pero el hombre vive en un mundo ilusorio que uno mismo ha creado dentro de su mente, siendo esto, el pecado del hombre. La vida del hombre es también una vida fútil, es la vida de una lenteja de agua, es la vida de una nube pasajera, es la vida de una burbuja de agua, es inexistente y simplemente inexistente.

El hombre, el que tiene una mente falsa, al tener una mente de carencia constantemente consume y trata de buscar y obtener la

Verdad dentro de lo que ha consumido, pero esto simplemente agrega más falsedad a la falsedad y simplemente agrega más sufrimientos a la carga pesada. Sin embargo, el único camino para hacerse la Verdad es despojarse de toda esa carga.

Mientras que la era incompleta ha sido una era de sumas, la era completa es la era de la sustracción. Si la falsedad es completamente eliminada quedará solamente la Verdad. El hombre es falso, pero para hacerse la Verdad, simplemente debe eliminar al hombre falso, pero aquél que quiere obtener la Verdad poseyendo la falsedad, no podrá obtenerlo y aunque lo obtenga será falso.

La mente humana es un mundo que uno mismo ha construido tomando fotos del mundo, grabando en su mente emociones y sentimientos a través de lo que ha visto, escuchado, hablado, olfateado y sentido. La única mente que posee el hombre, es una mente ilusoria de fotos que es centrada en sí mismo, egoísta y no sabe nada fuera de sí mismo.

Uno sigue a su mente humana
Aquel que tiene falsedad en su mente seguirá su
falsedad y
Aquel que busca la Verdad seguirá a la Verdad

En este mundo, que algo es gratis y que se puede obtener algo a cambio de nada son todas charlatanerías. De acuerdo al esfuerzo de uno, uno adquiere incluso cosas materiales.

Usualmente veo a personas que no pueden seguir practicando Meditación Maum por el karma que cargan. Además, pueden alcanzar sólo hasta un cierto nivel que es acorde a su predisposición, en otras palabras, meditan hasta el limite de sus karmas. Esto es porque su mente no está predispuesto a contener más.

Primero, aunque hayan aprendido de otros, no tienen en lo más mínimo el pensamiento del agradecimiento, sino que creen que lo han logrado porque son especiales y se ponen contentos. Estas personas que tienen una mente estrecha, a raíz de su karma y pecado, que son su molde mental, sus mentes no se han predispuesto a contener más y terminan hablando de sí mismos y de sus preconceptos dentro de esa mente.

Millones de personas viven en este mundo pero no hay nadie que tenga la misma mente que otra. Esto es porque cada uno tiene su propia mente. Como la mente que uno tiene es falsa, por más que le hablen sobre la Verdad, la falsedad no puede entenderla ni escucharla ya que no existe la Verdad dentro de uno. Jesús dijo que el hombre no ve aunque tenga ojos ni oye aunque tenga oídos; esto significa que el hombre está encadenado a su propia mente y no sabe nada a excepción de lo que tiene dentro de su mente. Absolutamente todo lo que tiene dentro de ésta, es falso y no es real.

Cuando la mente falsa del hombre se haga la mente real del mundo, podrá saber los principios del mundo, podrá ver correctamente el mundo y sabrá lo que es correcto. Únicamente cuando su mente se haya hecho la Verdad sabrá lo que es correcto y esto será correcto.

El hombre vive mirando solamente las formas externas, pero la Verdad ve la Verdad en esa mente. El hombre, por lo que ha aprendido y ha vivenciado en el mundo, que son migajas falsas, se ha alejado de la Verdad y ha perdido su naturaleza humana siendo consciente únicamente de su ego. Sin embargo, si el hombre vive luego de recuperar su naturaleza humana, todos vivirán infinitamente cómodos. Se hará un mundo en el cual las personas podrán vivir confiando y creyendo en los demás.

Cuando el molde mental de uno sea destruido por completo junto a sus preconceptos y hábitos, uno podrá aceptar todas las cosas de este mundo. El mundo se hará un lindo lugar para vivir ya que el hombre se hará positivo, realista y activo dejando su mente cerrada y negativa. Como el hombre vive de acuerdo a lo que tiene en su mente, incluso viviendo en el mundo falso, el que vive para el dinero, sus logros académicos y su honor, habrá guardado justamente éstas en su mente y vivirá de acuerdo a esa ente.

La educación, las leyes y todo lo que el hombre ha creado existen mientras dure esa era y luego desaparecen. El mundo en donde el hombre vive sin su propia mente, en otras palabras, el mundo del Justo y del santo, será realmente un lugar alegre para vivir ya que la mente de todos serán uno y todos al no poseer la mente del sufrimiento y del peso, las risas nunca cesarán. No habrá tu país ni mi país y habrá igualdad, en donde las personas condecoradas vivirán trabajando para otros con alegría y vivirán felices. Será un mundo en donde todos vivirán bien. Ya que el Cielo existe dentro de uno, y el que ha nacido en el Cielo vive eternamente, no tendrá miedo a la muerte y este mundo y el mundo más allá serán uno.

El hombre no sabe aunque el Salvador haya venido o se haya ido

La mente humana es falsa. Como el hombre no tiene la Verdad dentro suyo, no sabe de la Verdad. El mundo en el que el hombre vive es un mundo mental. El hombre nunca ha nacido en el mundo de la Verdad, por lo tanto no sabe de la Verdad. La razón por la cual no ha habido un hombre Verdadero en el mundo, es porque el hombre es pecador, uno toma fotos de las existencias del mundo y las posee dentro suyo, creyendo erróneamente que es la misma existencia que la del mundo.

En otras palabras, el mundo mental de uno y el mundo están superpuestos, por lo que las personas viven pensando erróneamente que viven en el mundo. Por esto las personas no pueden saber del mundo de la Verdad, el reino de Dios.

El Salvador es la Verdad, el Creador y el origen. Solamente cuando esta existencia haya venido como hombre, el hombre y todas las creaciones del universo pueden renacer en el reino de la Verdad, por esto el hombre espera al Salvador. Aunque el Salvador haya venido como persona, como el hombre puede ver solamente su apariencia sin poder ver su mente original, su centro, aunque esa existencia haya venido las personas no podrán saberlo.

Esta existencia hará que la falsedad sea haga Verdad y esta existencia hará que el reino de la Verdad resucite y renazca. Sea en donde sea, como el hombre es incompleto, nosotros buscamos religiones y también el tao. Si existe un lugar en donde se realice la completud humana y la falsedad se haga Verdad, ¿no será allí entonces el lugar en el que el Salvador ha venido?

El Salvador es el dueño del reino de la Verdad, el origen. Cuando esta existencia haya venido como hombre, la existencia que salva en este reino al mundo y al hombre es el Salvador. Ésta es una existencia divina que está viva. La creación material lo ha hecho la Verdad, el origen; y cuando la Verdad, el origen, haya venido como hombre salvará a todas las existencias del universo en el reino del origen, de la Verdad; esto es la completud del universo. Este Salvador es inexistente en los conceptos y costumbres del hombre, ni existe en las apariencias, sino que existe en su mente. Sólo aquel que posea a esta existencia en su mente podrá reconocerlo.

Para que el hombre se pueda hacer esta existencia, el que haya absuelto sus pecados y su karma, es el que lo sabrá. El método más fácil de encontrar al Salvador es encontrar el lugar en donde se absuelvan los pecados y el karma. Y deberán encontrar el lugar en donde afirmen que la completud humana se realiza. Entonces, uno podrá encontrar al Salvador.

Conciencia de inferioridad

Los deseos que el hombre busca, son diferentes en cada persona, pero no son más que manifestaciones de su sentimiento de inferioridad. Aquel que siente carencia de amor busca amor y el que siente carencia de dinero busca dinero. El que persigue al poder busca poder y el que tiene su orgullo pisoteado busca recuperar su orgullo. El deseo de llenar las carencias que uno sintió durante su época de desarrollo es la manifestación de su conciencia de inferioridad. Una persona que fue regañada por su suegra, regañará a su nuera por tener esa mente. Uno vive inclinándose por los distintos deseos que posee su mente siendo éstas, las expresiones de su mente.

Hay un dicho que dice que las cosas suceden según lo que la mente de uno se ha propuesto. Esto significa que uno vivirá, ni más ni menos, según lo que uno ha almacenado en su mente. La comida es desechada a través de la orina y la materia fecal, pero el hombre desde que nace únicamente ha almacenado grandes cantidades de preocupaciones y deseos en su mente, pero al no poder orinarlos y defecarlos, vive con una carga pesada de preocupaciones y ansiedades.

Uno ha consumido únicamente fotos dentro de sí mismo, tomándolas de existencias del mundo en su mente, y como en ningún momento las ha sustraído, el hombre está muerto dentro de ese mundo mental. Uno intenta lograr la Verdad dentro de ese mundo mental y uno vive de acuerdo a su guión de la mente, por lo tanto todos sus actos son en vano e ilusorios.

El mundo más allá del mundo, el reino al que uno ha llegado luego de haber desechado la mente humana, es el mundo real, es el mundo de la Verdad que no es una foto. En el momento que este mundo real exista dentro de la mente de uno, el hombre se habrá despojado de su conciencia de inferioridad y tendrá solamente la mente suprema de la Verdad. El que haya nacido aquí será dios, será libre y habrá obtenido la liberación por haberse despojado de la mente humana. Es justamente por la estructura mental de fotos de uno, que uno tiene conflictos y obstáculos en la vida. Si uno vive sin esta estructura mental no tendrá obstáculos ni conflictos y vivirá mejor. La mente que puede aceptar esto y aquello, será de personas que han logrado ir del mundo de fotos al mundo real.

La aceptación es la ausencia de juicios y discernimientos, así como ver las cosas sin mente y vivir sin mente. Si uno tiene una estructura mental de fotos, uno encuentra trabas en esto y trabas en aquello y echa culpas al otro y al mundo, siendo siempre la culpa del otro y no hay nadie que se culpe a sí mismo. Por poseer mi mente, esto es mi culpa y aquello es mi culpa. Cuando llegue el tiempo en el que las personas de este mundo sepan culparse a sí mismos, todos tendrán una mente de aceptación y tendrán la mente de la Verdad, sus actos no tendrán trabas ni obstáculos y todos podrán vivir bien. Cuando el hombre elimine el mundo falso que uno ha consumido, vivirá la vida del flujo de la naturaleza y vivirá bien por no poseer la conciencia de inferioridad.

Cuando la mente que se ha generado de conciencias de inferiori-dad es puesta en acción, todos accionan con la peor maldad siendo su resultado, ni más ni menos, que la procreación de la maldad. La maldad engendra a la maldad y terminará muriendo dentro de esa maldad. Y uno vivirá cargando una carga pesada con sufrimientos.

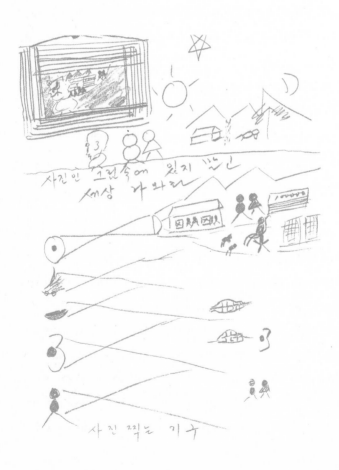

Cuando es uno mismo el que quiere iluminarse y lograrse no podrá realizarlo. Uno debe saber que uno mismo es una existencia falsa e incorrecta; cuando realmente se deseche a sí mismo, se iluminará de acuerdo a lo que ha eliminado y podrá hacerse la Verdad

Es común ver personas que aparentemente han venido en busca de Meditación Maum por poseer conciencias de inferioridad. Hay también muchas personas que recorren y asisten aquí y allí tratando de satisfacer sus deseos y lamentos de lograr la Verdad y poseerla, sea en donde sea. Pero lo cierto es que las personas que han querido encontrar o lograr algo, han partido luego de haber meditado de acuerdo a su capacidad de contención mental.

El hombre ha tomado fotos del mundo originariamente existente en su mente y vive habiéndose apropiado de este mundo siendo esto, su pecado y karma; sin embargo todo esto es falso. Como el hombre vive dentro de esta falsedad, aquel que se da cuenta de que todo esto es una ilusión falsa y desecha completamente su mente de todo lo que ve, escucha y siente en este mundo, desecha además la idea de que algo es suyo y desecha también su pecado y karma sabiendo que uno mismo es el falso, logra la Verdad.

No es común que exista en este mundo una persona que logre todo lo que haya buscado y deseado. El que no ha podido lograrlo, lamentará su desgracia e incluso reflexionará sobre sí mismo.

Como uno mismo es consciente de su insignificancia, hay muchas personas que meditan para tratar de elevar su estatus encontrando y logrando algo. Así como la mente que uno tiene no la tiene otra persona, esto es simplemente la expresión de su mente.

El pecado del hombre es haberle dado la espalda al mundo. El que reconoce que uno es pecador y se niega a sí mismo, lo logra; pero la persona que medita poseyéndose a sí mismo, aunque lo logre será un ser falso. El peor enemigo de uno en este mundo es uno mismo, el más miserable de este mundo es uno mismo, la persona más incorrecta de este mundo es uno mismo, y uno vive creyendo erróneamente que está vivo; sin embargo, uno ha robado las pertenencias del mundo y ha creado un mundo inexistente en el mundo. Este mundo es el mundo ilusorio falso de fotos en el que uno vive. La persona que en definitiva se niegue a su falso ser podrá completarse.

El hombre es falso porque está viviendo dentro de su mente falsa de fotos. Como el mundo es perfecto, si uno quiere adentrarse al mundo Verdadero deberá eliminar su propio mundo inexistente y negarse completamente a sí mismo. Luego de eliminarse por completo negándose a sí mismo y luego de eliminar todos los preconceptos y hábitos de su mundo mental, hacer que la mente de uno se haga uno con la del mundo es el estudio de la mente.

El que estudia con la predisposición de negarse a sí mismo por completo, sin tratar de obtener o lograr nada para su ser falso, fácilmente podrá completar el estudio. Es más, luego de lograr la completud humana y luego de ir al Cielo estando vivo que es el mundo Verdadero, su alma y espíritu vivirá sin muerte. Todas las personas, cuando mueren, como no tienen el Alma y Espíritu de la Verdad, terminan muriendo eternamente. Pero aquel que ha obtenido dentro de sí mismo la mente del mundo que es el reino de la Verdad, vivirá eternamente ya que habrá nacido con el Alma y Espíritu de la Verdad.

Uno habla y actúa según lo que tiene en su mente

El mundo mental humano es el que posee las pertenencias del mundo, dicho muncho no es real sino que una falsa ilusión. La persona que está dentro de la ilusión exhibirá únicamente lo que posee en su mente, que son sus propios preconceptos e ideas. Las personas que viven en el mundo humano que es el mundo ilusorio, hablan y actúan de acuerdo a lo que poseen en su mente. Aquellos que hablan y actúan amoldándose a la época en la que viven, podrán vivir una mejor vida. Uno vivirá y actuará según lo que su mente ha guardado.

Como sea, la mente del hombre es centrada en sí mismo y egoísta, es la que ha creado un mundo propio y piensa solamente para sí. Lograr éxitos, ser el mejor y sus fanfarronerías serán todo.

Pero cuando la mente humana desaparezca y se haga la mente de Dios, el hombre vivirá una vida llena de alegría. Vivirá una vida numinosa. Trabajará para el reino divino sin ninguna preocupación, tendrá libertad y liberación, y como el ego no existe, uno vivirá trabajando para otros deseando que el prójimo triunfe y construirá bendiciones en el reino de la Justicia. Como el reino de la Justicia no tiene muerte, uno sabrá sobre la unidad de la vida y de la muerte y aunque muera no morirá, se hará dios en el reino eterno e inmortal siendo esto el reino de la Justicia. Esto es, el falso hacerse la Verdad.

El hombre deberá vivir siendo un hombre para poder vivir bien en el mundo. Vivir bien significa vivir siendo la Verdad, vivir bien significa vivir en el reino de la Justicia. Para toda persona, lo mejor es que uno mismo sea un hombre completo, sea la Verdad.

La prioridad de toda educación es lograr que el hombre se haga la Verdad, luego de esto, enseñar el estudio para que el hombre coma y viva en la sociedad. De esta manera, se hará un país en el que todos vivirán mejor. Cuando uno logra la conciencia original, tendrá una conciencia suprema y todos vivirán mejor por estar orientados al bienestar del prójimo. Sólo cuando cambiemos nuestra mente por la mente de la Verdad, de Dios, viviremos como Nosotros.

Si Janol, de a filosofía Janol de nuestro país, en otras palabras si uno renace siendo Una Conciencia, todos tendrán sabiduría y no cometerán actos tontos. Al no existir encierro en el propio mundo mental, obrarán y obtendrán resultados reales; por lo tanto, todos vivirán mucho mejor y vivirán alegres. Cambiar nuestra mente falsa por la mente de la Verdad es nuestra prioridad primordial. Cuando esto se haya logrado, se hará un mundo en donde podremos vivir libres y sin preocupaciones.

Personas que siguen el Do

Las personas practican el Do (la Verdad o el camino en coreano) para el bien de uno mismo, para hacerse superiores o para llenar sus conciencias de inferioridad, pero el Do es lo opuesto a sus propósitos porque la existencia del Do es la existencia de la Verdad. Para poder realizar del Do, la Verdad, uno debe desecharse a sí mismo y librarse absolutamente de todos sus preconceptos y hábitos, pero aparentemente muchas personas fracasan porque es uno mismo el que quiere lograr y obtener el Do.

El Do es el falso hacerse real. Lo único que se debe hacer es desecharse a sí mismo que es falso, pero como uno trata de poseer el Do dentro de uno, no puede lograrlo porque el Do no puede ser contenido en la falsedad. En la Biblia y en sutras budistas hay expresiones como 'demonio' y 'espíritu del mal', los cuales son palabras que hacen referencia a uno mismo que es falso.

En el budismo se dice que lograr el Do es como salir a la superficie excavando desde el centro de una montaña de plata e hierro. Es una alegoría que hace referencia a que el mundo mental que uno mismo ha construido, el cual es una ilusión, es durísimo y que es muy difícil de desprenderse.

Cuando uno se desecha a sí mismo completamente, lograría absolutamente todo lo que uno busca para su propio bien, de hacerse superior y llenar su conciencia de inferioridad, pero aquel que va de aquí para allá en búsqueda de algo para poseerlo en su propio mundo, finalmente no lo logra y sólo acumula más karma. Es importante saber el principio de que en el mundo no hay nada gratis. Esto también es un principio del mundo. Hay muchas personas que quieren lograr la Verdad sin dedicarle esfuerzo, siendo esto el hábito con el que han vivido su vida. Como el hombre actúa y vive de acuerdo a la forma de su mente, se dice que el hombre muestra el precio de su forma. Incluso la realización o no de la Verdad depende del precio de su forma mental. Esa forma de uno, siempre termina pagando su precio.

El Do incorrecto que conocemos

Las imágenes que surgen dentro de la mente son ilusiones falsas. Además, lo que uno escucha y ve, suceden dentro de la falsa mente ilusoria de uno. Hay muchas personas que practican el Do para hacer alardes de sí mismos y para obtener algo. En concreto, el Do es desechar por completo la mente y el cuerpo de uno mismo sin dejar residuos hasta que la mente de uno se haga la existencia de la Verdad eterna e inmutable y es renacer en la mente de la Verdad.

En este mundo, el método para el Do existirá con certeza únicamente cuando el dueño del Do haya venido al mundo. En este mundo no ha habido el método para lograr el Do, esto es porque no había llegado al mundo la existencia del Do que es la Verdad. Las profecías de que vendrá el Salvador, Buda Maitreya, Chongdoriong y el Gran Jefe, significarán que vendrá el dueño del Do que es el dueño del mundo.

Como las personas viven dentro de su propia mente, en otras palabras viven dando la espalada al Do, desechar la mente y el cuerpo de uno mismo que da la espalda es justamente el Do. El Do es también la falsedad llegar a la Verdad y es lo irreal hacerse real. La mente humana debe hacerse la mente del cimiento original, el Chong y Shin, esto es el Do. Para que el hombre falso e irreal logre el Do, debe salirse del mundo ilusorio al mundo real, pero esto cuesta más que escapar a la superficie desde el centro de una montaña de goma y de acero. El dicho "es más difícil ganarle a uno mismo que ganarle a un millón de soldados" que se usa en nuestro país, Corea, significará lo mismo.

Al enseñar el Do, veo que las personas intentan el Do conservando a su propio ser; como las personas, el falso ser de uno desea poseer la Verdad, finalmente es falso. Mientras más fuerte es la conciencia de inferioridad en una persona, como se esfuerza por obtener algo a través del Do, se observan muchos casos en los que la mente de estas personas quedan temporariamente alteradas o en otros términos poseídas. Estas cosas suceden cuando uno mismo que es falso, trata de lograr algo en vez de desecharse. Existen también personas que confunden su propio mundo mental con el Cielo verdadero asegurando que han nacido allí, y hay también personas que dicen que han venido del Cielo. Pero ninguno de estos es el Cielo, sino que son personas que han nacido en su propio mundo mental que es falso. Al cimiento original se debe ir luego de haberse desechado, pero estas personas han sumado más pecado, alargándose más así el camino. Además, estas cosas le suceden a las personas con mucho pecado. Esto sucede a raíz de sus deseos; lo que han visto y lo que saben de ese mundo son cosas delusorias de fantasmas.

Cuando la mente de uno se hace la mente del cimiento original, uno va entendiendo naturalmente a la existencia de la Verdad por tener sabiduría, pero decir que uno sabe porque ha visto o escuchado algo, no es más que pensamientos propios del fantasma. Esto es definido en la medicina moderna como trastorno delirante, y si este trastorno delirante es contagiado a otras personas, todas estas personas serían un grupo de enfermos con trastorno delirante. Esto no es diferente a un rito hereditario de habilidad de los chamanes. Estos fenómenos lo sufren las personas que, movidas por sus conciencias de inferioridad de querer realizar sus deseos, dicen ver un mundo en el cielo y hablan como si lo supiesen todo.

Las personas que poseen la misma frecuencia de pensamientos entran en este caso, dentro de la mente de aquella persona loca y actúan y dicen las mismas cosas que el loco, pero un loco ni siquiera se da cuenta de que está loco y juntos, en el mundo del trastorno delirante colectivo, no pueden despertar de ese sueño y realizan actos de fantasmas. La delusión es el fantasma y son fantasmas en común.

El alma y espíritu que ha nacido con vida en el mundo real de la Verdad, se ha ya librado del Seng-no-biong-sa (nacimiento, envejecimiento, enfermedad y muerte) del hombre, y también es el estado en el cual se ha librado del Tam-jin-chi (deseo, ira, estupidez) y del Chil-chong-O-iok (los siete sentimientos y cinco deseos), es el estado en el que el conocimiento ha cesado. Incluso personas que han visto este mundo alguna vez, guardan este mundo en su mente y dicen que han recibido algún tipo de corona o que uno mismo es el dueño, pero no son más que expresiones de su pensamiento dentro de su mente. Éstos son actos del fantasma delusorio, que por su conciencia de inferioridad esos deseos afloran en la persona que no puede desecharse a sí mismo que es el fantasma.

Dios, e incluso el reino del Cielo existen en la mente de uno. No es dentro de esa mente delusoria, sino que es dentro de la mente que se ha unificado con este mundo. Este mundo es el reino de Dios, el cimiento original que es Dios; y esto existe en la mente de uno. Las imágenes que surgen de la mente de uno como fotos, no es el mundo divino, sino que es el mundo mental de mentiras de uno. Esto es terminar muriendo eternamente. Así como en nuestro país existe el dicho de que los fantasmas forman sectas, las personas que sufren de trastorno delirante colectivo forman sectas, siendo enfermos de trastorno delirante colectivo. Aunque estas personas digan que han escuchado algo o han recibido revelaciones divinas o mensajes, son cosas que han surgido de sus mentes ilusorias.

Todas las personas terminan muriendo. Todos aquellos que no se han hecho la Verdad estando vivo terminan muriendo

Las personas se preguntan qué es lo que sucede cuando uno se muere, pero no hay solución ni respuesta a esto en el hombre. Mientras que en diferentes religiones, piensan que irán al Cielo después de la muerte, pero como el hombre vive dentro de un mundo mental que uno mismo ha construido, el hombre termina muriendo sin poder vivir.

Esto es porque la mente humana es un mundo de fotos que es una copia del mundo real. Uno ha guardado dentro de uno las existencias del mundo. La persona que vive dentro de éste, es falsa y es una existencia inexistente. Ya que uno está grabado dentro de una cinta de video, es falso; como no ha nacido en el mundo, como no tiene el Alma y Espíritu de la Verdad viva, el hombre está muerto. Como el Alma y Espíritu de uno no ha resucitado, está muerto. Dentro del mundo mental que uno ha dibujado y construido, uno mismo que es falso, a partir de su obsesión, vive pensando que lo que vive es la sombra de su cuerpo delusorio.

Incluso dentro de un video, la gente come y habla pero lo que sucede en el video no es real. Lo único real es lo que ha nacido en el mundo, pero como el hombre vive dentro de una cinta de video que ha copiado el mundo, el hombre es falso. Una persona viva es aquella que posee la mente del mundo, la Verdad. Aquellas personas cuya Alma y Espíritu de la Verdad no ha nacido, al no poseer el Alma y Espíritu de la Verdad terminan muriendo eternamente.

Cambiar la mente humana de fotos por la mente de Dios es el arrepentimiento y la verdadera penitencia. El hombre no es real; si una persona se muere sin haber nacido en el reino verdadero, terminará muriendo. Pero aquella persona que ha nacido, vivirá porque su Alma y Espíritu han nacido. Sólo aquel que deseche completamente a su falso ser, vaya al reino real y renazca en ese reino vivirá. De no ser así, todos terminarán muriendo.

Sólo a través de la muerte, podrás saber del mundo más allá

En el idioma coreano, se dice 'sólo a través de la muerte podrás saber del mundo más allá' cuando uno no sabe la respuesta a un dilema. No hay nadie en este mundo que sepa con certeza acerca del mundo de los muertos.

Comúnmente entre religiosos, se dice que el que ha obrado bien va al mundo más allá y el que ha obrado mal va al Infierno, sin embargo no hay una respuesta clara acerca de esto.

¿Existe el inframundo?

El cielo del universo, la existencia original de la Verdad, ha existido antes de que yo haya nacido en este mundo. Todas las creaciones y yo, hemos provenido de esta existencia y aunque vivamos, ésta existe y aunque no vivamos más, esta existencia seguirá existiendo. ¿No han retornado todos a esta existencia original? A comparación de esta existencia, el sueño en el que el hombre vive no dura ni siquiera un segundo y dentro de éste, uno ha abandonado el origen para vivir su propia vida. Desechar completamente a uno mismo que sueña este sueño, así como también los lugares y su contenido, es justamente la muerte.

Cuando uno desecha completamente la vida que está dentro de un sueño desde este universo, uno puede retornar al origen.

Si uno renace en este origen con el Alma y Espíritu del origen, uno puede saber del mundo más allá y de todos los principios del mundo.

Todas las cosas materiales existentes en este mundo vienen del cimiento original y retornan a ésta, siendo esto la Verdad. El mundo y la persona que han nacido en este cimiento original vivirán eternamente. El que no muere estando vivo terminará muriendo por no tener el verdadero Alma y Espíritu en el reino de la Verdad. Hasta ahora todos han muerto, es que no ha habido un mundo más allá. La mente falsa de uno que es el Infierno, es inexistente.

Si uno muere estando vivo, puede saber si existe o no el mundo más allá. Ahora es la era en la cual el mundo más allá existe. Para el que haya muerto y haya nacido en el mundo más allá, este mundo, el cual es el mundo verdadero, existirá y uno mismo que vive en ese mundo más allá también existirá.

¿Qué es el Cielo, el Paraíso y qué es el Infierno?

En la Biblia dice que Dios está dentro tuyo y que el Cielo también está dentro tuyo. En el sutra budista dice que tu mente es Buda y que el Paraíso está en la mente de uno. Estas palabras aparentemente tienen distintos significados pero significan lo mismo. Los budistas creen que el Paraíso es donde está Sakyamuni que es Buda y los cristianos creen que el Cielo es el reino en donde se encuentra Jesús.

Estas existencias no son existencias falsas, sino que son existencias reales de la Verdad que están vivas. Nosotros cuando vemos a una persona vemos su forma, pero aquel que se haya hecho la Verdad verá cuán Verdad se ha hecho. Dependiendo de cuán Verdadero se haya hecho una persona, se podrá saber si está vivo o muerto. También con esto se evaluará el valor de una persona.

Como las personas están viviendo en un mundo mental que uno mismo ha creado, uno piensa que vive en el mundo real, pero no ha nacido en el mundo y está muerto. Como estos mundos están superpuestos, las personas no saben si es su propio mundo mental o no. Pero visto al humano desde el mundo que es la Verdad, el hombre ha estado viviendo en el mundo ilusorio falso de fotos que uno mismo ha creado y seguirá viviendo en ese mundo ilusorio falso.

Si el hombre muere estando dentro de ese mundo falso de fotos, terminará muriendo eternamente como una mera ilusión falsa en su propio mundo ilusorio falso. Pero si destruimos ese mundo ilusorio y retornamos a la mente del cimiento original, el origen del universo, el mundo que ha renacido dentro de la mente del cimiento original será el Cielo y el Paraíso. La Verdad, que es este mundo, es el Paraíso.

Pensar que existe un mundo fuera de este mundo es una falsedad. Si elimino a mi ser falso, elimino toda mi mente falsa y elimino absolutamente todas las existencias del universo, aparecerá el cimiento original. El reino que ha renacido con la materia del cimiento original es el Cielo. Para esto, únicamente el dueño del Cielo y del Paraíso podrá hacer que renazca.

Este reino es un reino vivo, es un reino eterno e inmutable, es el reino Verdadero en donde no hay muerte, es un reino en donde no existe el ego que son los conceptos y hábitos del hombre. Al renacer luego de haberse hecho la mente del origen del universo, no existen ansiedades ni preocupaciones; es liberación, es libertad, es el reino que se ha hecho la conciencia de Dios. Aquel que ha renacido estando vivo, como existe un dios que ha resucitado en el Cielo dentro de la mente de uno, aunque su cuerpo desaparezca, ese dios vivirá eternamente dentro de la mente de uno.

Sólo aquel que ha obtenido la mente original del mundo podrá ir al Cielo y al Paraíso. Además podrá vivir eternamente.

Existencia e inexistencia del espíritu

En la Biblia dice que el que no cree en Jesús terminará muriendo eternamente y que irá al Infierno. Además, hay personas que tienen mucho interés sobre la existencia o la inexistencia del espíritu luego de la muerte. El espíritu de la Verdad está vivo porque ha nacido, pero el espíritu que es falso, aunque exista es inexistente y esto es justamente la foto que es ilusoria y falsa. Esto es así porque es una mentira que deambula dentro de la falsa ilusión de uno. Esto es inexistente. Esto no es real sino que es falso, no existe.

En el reino de la Verdad que está dentro de uno, en otras palabras, el ser verdadero de uno que ha nacido en la mente de aquel cuya mente se ha hecho la Verdad, el que su espíritu ha nacido estando vivo, es el que puede vivir eternamente.

El que haya nacido en el reino de la Verdad estando vivo luego de haberse hecho la Verdad misma a través del perdón de todos sus pecados, vivirá eternamente ya que su alma y espíritu habrá resucitado, pero el que no nace en el reino Verdadero terminará muriendo eternamente. Aquel cuya Alma y Espíritu del reino de la Verdad haya resucitado dentro de su mente estando vivo existirá eternamente y aquel que no se haya hecho la Verdad no poseerá alma ni espíritu.

Lo que vive eternamente es el alma y espíritu, no la materia

En este mundo, no existe materia que sea eterna. Las incontables estrellas, el Sol, la Tierra y la Luna que flotan en el cielo son materias que los científicos estiman una vida media de unos 5 a 15 billones de años. Incluso en este preciso instante hay estrellas que nacen y otras que desaparecen. Absolutamente toda la materia que existe en este mundo es el origen mismo, es el cielo antes del cielo, el cimiento original que es el universo del cual se ha sustraído toda la materia que uno piensa que existe. Toda materia proviene de este lugar y retorna a este lugar siendo esto el principio del mundo, la Verdad. Como la materia tiene una vida útil, no existe nada que sea eterno.

Lugares como el Cielo y el Paraíso se refieren al mundo que han nacido en el reino del origen y es sólo este reino de la Verdad lo que nunca desaparece. Sin renacer, sin resucitar en este reino con la materia de la Verdad, no habrá lugar que sea eterno. La palabra eterno es únicamente aplicable para el reino de la Verdad.

En algunas sectas religiosas dicen que el hombre puede vivir eternamente junto al mundo, pero es porque no entienden el verdadero significado de sus escrituras religiosas. Piensan que la vida eterna aquí en la tierra significa vivir con su cuerpo material, pero sólo la persona cuya alma y espíritu haya nacido aquí en la tierra, en el reino del Creador, es el que vivirá eternamente. Expresado nuevamente, es el principio del mundo y es la Verdad que la materia desaparezca. Provenir del origen y retornar al origen es el principio del mundo. El reino del origen, de la Verdad, es el Cielo y el Paraíso. Aquél que tiene fe en la Verdad y se ha hecho la Verdad estando vivo y ha nacido en ese reino, podrá vivir en este mundo verdadero eternamente aquí en la tierra.

Hay muchas personas que tienen dudas sobre el lugar que el hombre va cuando se muere, pero el que no renace con las cualidades de la Verdad, como no tiene el Alma y Espíritu de la Verdad, terminará muriendo.

En lugar de practicarlo solamente con teorías o palabras, si uno nace en el Cielo a través del arrepentimiento, sabrá todos los principios del mundo. La iluminación es saber de la Verdad de acuerdo a la cantidad de arrepentido que uno haya realizado y se haya hecho la Verdad. Si uno se hace la Verdad sabría todos los principios del mundo, pero por creer que su interpretación de las escrituras religiosas que ha leído es correcta, sin entender su verdadero significado, terminará muriendo eternamente. Cuando uno corrija su forma de pensar y vaya al lugar en donde se logra la Verdad y se haga la Verdad misma, podrá saber que el Alma y Espíritu de la Verdad es eterno e inmortal sin muerte.

La Verdad sabe de la Verdad y sabe de la falsedad, pero la falsedad que es uno mismo no sabe de la Verdad ni sabe de la falsedad, ni tampoco entiende el significado genuino de las escrituras sagradas que ha leído porque las interpreta con la mente humana. No existe nada más alto, más supremo, más perfecto que hacerse la

Verdad. Cuando uno se haga esta existencia y se complete, podrá saber todos los principios del mundo.

Principios del mundo

El lugar de donde este mundo ha provenido es el cimiento original y el lugar a retornar es también el cimiento original. Este mundo existe porque el suelo existe; a su vez, este suelo puede existir porque existe la Tierra; y la Tierra puede existir porque existe el cielo vacío. El cielo vacío y puro en donde no hay ninguna materia, es el cimiento original y es la Verdad. Todas las existencias de este mundo han provenido de este lugar; los animales y plantas que han existido hace miles de años atrás han ya desaparecido. Ha quedado solamente el espacio que queda cuando desaparece la materia que es el cimiento original. Este es el espacio original del universo, es la Verdad.

Sin dudas, sucede lo mismo cuando morimos. Venir de este sitio y retornar a este sitio es la providencia y el principio de la naturaleza. Únicamente renaciendo con las propiedades del cimiento original en el espacio del Creador, el cimiento original, este mundo obtiene la salvación y el hombre también puede vivir. Todas las personas, animales y plantas que han vivido en este mundo y se han ido, han retornado a este lugar y han muerto.

Lo que no existe en este mundo es inexistente; asimismo, el mundo que el hombre ha guardado en su mente, haciendo copias de todas las existencias del mundo, es inexistente. Vivir en este mundo es el Infierno y como éste no existe en el mundo que es la

Verdad, es inexistente. Si el hombre no elimina este mundo ilusorio falso de fotos que es el Infierno, no habrá nadie que vaya al Cielo. El Cielo es el cimiento original de este mundo y sin renacer aquí con las propiedades de este lugar, de la Verdad, no podrá haber vida eterna ni eternidad. Este lugar, el Cielo y el Paraíso, es el reino en donde el hombre y el universo vive eternamente.

Nosotros debemos retornar al origen y renacer en el origen. Para poder retornar al origen, solamente es posible cuando uno mismo haya desaparecido y haya muerto por completo para poder nacer nuevamente, renacer y resucitar. Así como la creación de la materia lo ha hecho el cimiento original, el Creador, la creación del alma y espíritu lo puede hacer la persona que sea el Creador. La razón por la cual lo puede realizar únicamente el dueño del mundo, es porque es la decisión del dueño de permitir o no a las existencias en su mundo, en el reino del Alma y Espíritu. Solamente el dueño de este mundo lo puede realizar y puede salvar todo en su mundo. Por esto, dicen en el cristianismo que sólo Dios puede salvarnos y en el budismo dicen que Maitreya vendrá y que salvará al mundo, pero todos ellos han hablado del dueño del mundo, del dueño del cimiento original.

Morir es vivir y vivir es morir

Según el sutra budista Mahaparinirvana, dice que en el futuro, en el mundo de Buda Maitreya, el paranirvana se realizará. Paranirvana significa morir completamente sin dejar residuos. Esto significa que hay que desechar completamente lo que el cuerpo y la mente del hombre posee. Desechar o eliminar significa morir.

Muerte significa no existir. Tener una gran muerte es morir completamente sin dejar residuos. Es matar y desechar completamente a todos los preconceptos y hábitos que existen dentro de la mente humana. Esto es el paranirvana, es el nirupadhisesa nirvana (nirvana sin residuos) y cuando uno muere completamente, aparece la mente original, el origen, la mente del universo.

Esto es la mente del origen: es Dios, Buda, Alá y Janolnim. Es también la Verdad. Cuando el hombre que es falso muere por completo, obtiene la mente de Dios y renace con el Alma y el Espíritu de Dios y vivirá eternamente en el Cielo, en el mundo inmortal, el reino de la Verdad.

Hay una frase en el cristianismo que dice `el que trata de morir vivirá y el que trata de vivir morirá.´ Esta frase significa lo mismo. Cuando el ser falso de uno muere por completo, su ser verdadero renace y vive en su reino verdadero; por lo tanto, el ser falso de uno debe morir. El hombre piensa que está vivo, pero como no existe en el mundo de la Verdad, que es este mundo, es una existencia muerta.

El método para que el hombre que es una existencia muerta pueda vivir, es desechar al hombre falso. El falso debe morir para que pueda renacer nuevamente como una persona verdadera. Comúnmente la gente piensa que su cuerpo es el que vivirá eternamente con la venida del Salvador, y hay otros que piensan que es el alma del cuerpo lo que vive eternamente. Sin embargo, como el hombre no tiene la mente del mundo, del mundo de la Verdad, no ha podido nacer en el mundo verdadero, y al no tener el Alma y Espíritu de la Verdad en el reino de la Verdad, el hombre está muerto.

¿No sería una tontería pensar que uno vivirá eternamente luego de la muerte sin haber renacido estando vivo? Arrepentirse de sí mismo, es la muerte de uno mismo. Es eliminar completamente a uno mismo que da la espalda a la Verdad.

Sin el arrepentimiento verdadero que es la muerte, el falso ser de uno vive dentro del pecado que es un mundo falso, esto no es estar vivo sino que muerto. El que ha muerto por completo vivirá para siempre en el reino de la Verdad.

Resurrección, nacer nuevamente

¿Qué es lo que busca, qué es lo que quiere saber y qué es lo que quiere obtener?

Si muero completamente estando vivo, no sabría nada ni tendría nada que obtener, sólo tendría una mente que se ha hecho uno con el mundo, ya que el vacío mismo en donde absolutamente todo ha cesado se hace mi mente. El mundo está dentro mío, a su vez, yo estoy dentro del mundo y dentro de todas las existencias de este mundo está el mundo. La razón por la cual el peso de un polvo es igual al peso de la Tierra, es porque dentro del polvo existe el mundo.

Esta es la mente que se ha hecho uno con la mente de Dios y esta es la mente del cimiento original, de la Verdad, que está viva. Absolutamente todo es uno y absolutamente todo es la Verdad, por esto todo está vivo.

La mente de la Verdad está viva pero no posee esa mente, por lo tanto acepta a todas las creaciones del cielo y tierra, y éstas existen dentro de mi mente; y el dueño del cimiento original, del Cielo, es el que nos salvará. La salvación es hacerme la Verdad misma luego de desechar a mi ser que es falso. Cuando yo muero por completo y las creaciones del universo se mueren por completo, queda solamente el cimiento original; renacer con el Alma y Espíritu del cimiento original, será la salvación.

Solamente Dios nos puede salvar y solamente Dios nos puede dar vida. Como es la Verdad, su palabra es la Verdad y a través de su palabra realiza la resurrección. Así como hay huevos fertilizados y huevos no fertilizados, la persona que posee la semilla de la Verdad que es vida, puede obtener la vida eterna y ser inmortal. La persona que ha redimido todos los pecados de su vida estando vivo, retornará a los brazos de Dios y él lo resucitará. Uno no puede ser resucitado y no puede renacer si posee a su propio ser falso. Uno debe desecharse a sí mismo que es falso, debe ir al reino de la Verdad, y cuando el dueño del reino de la Verdad permita a uno renacer, es cuando uno podrá renacer. Incluso para este mundo, no habrá nadie que pueda vivir si no renace como la Verdad misma a través de la palabra del dueño.

El que va al Infierno y el que va al Cielo

Una casa existe porque existe el piso y éste existe porque existe la Tierra. La Tierra existe porque existe universo que es el vacío. El Sol, la Luna, las estrellas que flotan en el cielo existen también porque existe universo que es el vacío. Esto es el cimiento original de todas las creaciones del universo y es el dueño. Esta existencia que ha creado todo el universo, es el dueño y el Creador.

Supongamos que no hemos nacido en este mundo. Este cimiento original ha existido antes de una eternidad, existe ahora y existirá eternamente ¿No es así? Esta existencia ha existido antes de mi nacimiento, después de mi nacimiento y existirá incluso después de mi muerte. Si pensamos que no hemos nacido, entonces seríamos el cimiento original ¿No es así?

He nacido aquí y he empezado a vivir dentro de un sueño, dentro de una ilusión. He abandonado el origen, el cimiento original y he empezado a vivir en mi propio mundo mental. Todos los hombres y las existencias materiales que existieron en la Tierra diez millones de años atrás, cinco millones de años atrás y diez mil años atrás ya han desaparecido de este mundo. Incluso yo, que he abandonado el cimiento original y estoy viviendo dentro de mi mente, también desapareceré con el paso del tiempo como los hombres y las existencias materiales que han existido desde hace miles y hasta millones de años atrás.

A comparación con la perpetuidad del cimiento original, mi sueño en este mundo es equivalente a un segundo.

Dentro de ese sueño existe un mundo que sólo yo poseo, que es mi hogar de la infancia, mis padres, hermanos, ancestros, los sucesos de mi escuela, de mi familia, de mi pareja y también mi dinero y mi honor. Ésta fue mi vida abandonando el cimiento original. Visto desde el cimiento original he estado soñando un sueño falso por un segundo. Eliminar y desechar completamente este sueño es el estudio de Meditación Maum.

Desechar completamente este sueño y retornar al cimiento original es despertar del sueño. La persona que nace en el cimiento original y deja de soñar, es el que ha nacido en el Cielo. El Cielo es este mundo real, es el sitio en donde vive la persona que se ha hecho uno con la mente de este mundo, el mundo de la Verdad. El Infierno es vivir dentro del mundo de sueños, pero como el Infierno es falso, es inexistente.

Todos nosotros, los hombres, estamos viviendo en el mundo infierno, pero como el hombre desconoce el Cielo, tampoco conoce el mundo infierno. Sólo aquel que ha nacido en el Cielo puede saber del Infierno y del Cielo. Si uno se destruye completamente a sí mismo que vive en el mundo de sueños, en el mundo de la vida del hombre y todo lo que uno ha soñado, quedará solamente el cimiento original que es la Verdad. Y el que ha nacido allí podrá vivir eternamente. El Cielo es el mundo de la Verdad en donde toda la falsedad ha sido completamente destruida y el Infierno es la vida dentro de la mente de uno que posee su vida humana. Sólo

aquel que destruya el mundo infierno y renazca en el Cielo, es el
que podrá ir al Cielo.

El hombre quiere lograr la Verdad poseyéndola
Pero nada se logra poseyendo

En esta vida, únicamente hemos aprendido a poseer. El deseo de posesión y la obsesión son la expresión de la conciencia de inferioridad de uno. En vez de buscar el Do para realizarse como santo, hay personas que, incluso engañando a las personas ignorantes, usan esas técnicas que han aprendido con un fin lucrativo o para mostrarse superiores.

Pero el Do no se trata de poseer o desear algo, sino que se trata de desechar. El Do es hacerse un ser verdadero desechando el falso ser de uno. El que trata de poseer es un tonto ya que no habrá nada que logre poseer, y el que trata de encontrar algo es también un tonto ya que no sólo no lo encontrará, sino que cargará más peso y dolor concluyendo al fin en un estado mental de derrota. La persona que haya logrado poseyendo, lo ha logrado a fin de cuentas, su ser falso.

Sin embargo, si uno desecha lo que posee en su mente humana, mientras más lo deseche, más se llenará de la Verdad y así sabrá más sobre la Verdad. Si uno continúa desechando y desechando, todos los deseos de mostrarse superior o conseguir logros, que emergen del sentimiento de inferioridad, desaparecerán y uno podrá ir al mundo divino que está por sobre todas estas cosas y se realizarán absolutamente todo lo que uno ha deseado.

La liberación completa de los preconceptos y hábitos del hombre es la realización completa, no siendo esto posible a través de la complacencia de sus deseos que son provenientes de su conciencia de inferioridad. De esta manera uno pecará más. Simplemente será poseído por sus propios deseos.

Posesión espiritual

La posesión espiritual es la aparición de una ilusión de uno mismo dentro de su mente ilusoria. Incluso algunas personas dicen 'he venido del cielo, soy el Gran Emperador de Jade, soy la hija del Gran Emperador de Jade' pero son simplemente alucinaciones de su mundo mental. Si es que ha venido del cielo, deberá ser del cielo original; si es que ha venido del cielo deberá ser del cimiento original, pero como vienen de sus propios mundos mentales, esto es falso.

Incluso dicen que ven el cielo, pero lo que ven es el cielo que está dentro de su mente, como el cielo verdadero se ha convertido en un cielo que está dentro de sus mentes, esto es mentira. Dentro del mundo que el hombre ha construido tomando fotos, nace una delusión del mundo y esto es la posesión espiritual.

En los comienzos de mi enseñanza del Do en la montaña Gaya les hice ver a muchas personas el Cielo. Como ellos poseían sus mundos mentales, en el momento que veían este mundo tomaban fotos en su mundo mental y se movían dentro de su mundo mental. Bastaba con que pasara un sólo día para saber que volvían a hablar desde sus mentes y desde entonces dejé de mostrar visiones. Como estas personas tenían en sus mundos mentales el Cielo ilusorio, habían muchos que decían tonterías. Es más, sin poder desecharse a sí mismo por completo con sinceridad, terminaban muriendo encerrados en su mente y de los que han visto el Cielo, no hay casi nadie que ha estudiado hasta el fin. Ellos han muerto eternamente.

Una persona con posesión mental es la que realiza actos que van en contra de la Verdad, y la alucinación de uno que va en contra de la Verdad, es la que surge de su deseo de satisfacer su conciencia de inferioridad. Es el pecador de pecadores que no puede amoldarse a la Verdad, confiando más en su ser falso. Decimos que 'tiene mucho pecado' cuando vemos a una persona que hace fanfarrias de su conocimiento. Comúnmente escuchamos las palabras 'tropa de Dios' o 'dioses del cielo' pero son todas ilusiones que desde la mente humana ilusoria han ido a otro mundo fantasioso, por esto están lejos de la Verdad. Estas personas son por ende el pecador de los pecadores.

Estos fenómenos le suceden a las personas que han traicionado al Cielo, que han engañado al Cielo que es la mente original y su mente original. La Verdad no es saber acerca de la vida del hombre; las fanfarrias de conocimiento son todos delirios falsos. Pero el hombre verdadero sabrá a través de la sabiduría. La persona que ha obtenido la conciencia original del universo es aquel que tendrá sabiduría.

Dios delusorio, omnipotencia y omnisciencia

Generalmente pensamos que Dios existe en algún lugar del reino del cielo en alguna forma. Pero el cielo vacío es lo que queda luego de borrar completamente todas las existencias del cielo y tierra de este universo. Luego de eliminar hasta este vacío, la existencia que no desaparece es el origen del universo, la existencia de la Verdad que es el Creador, Madre Santa y Padre Santo. Esta existencia es el origen del universo y es la existencia de Dios.

De esta existencia nacen las estrellas del cielo, el Sol, la Luna y la Tierra y todas las creaciones de la Tierra. Dios es todopoderoso porque ha creado absolutamente todas las formas del cielo y tierra. Todas estas creaciones nacen a partir de las condiciones presentes y es Dios, que con el flujo de la naturaleza, las ha creado. Aunque la creaciones hayan aparecido por su propia cuenta, es Dios, el cimiento original, quien las ha creado. Como realiza la creación y en consecuencia todas las creaciones aparecen, Dios es omnipotente.

Desde la perspectiva divina de la Verdad, el cimiento original que es Dios y Buda, se pueden saber todos los principios del mundo; y por esto es omnisciente. Omnipotencia y omnisciencia es la habilidad de crear el mundo entero y saber completamente del mundo. Cuando la mente humana, su conciencia, se unifica con el mundo, es cuando uno puede saber de Dios y puede entender fácilmente la omnipotencia y la omnisciencia divina. La creación de Dios se realiza cuando Dios, el Salvador, viene al mundo y lleva al hombre que vive dentro del pecado al reino de Dios, al Cielo; y con sus palabras hará que resucite, que renazca y que vuelva a nacer.

Hay un registro coreano de profecías llamado Chong-gam-rok. En él, dice que los Tres Santos Salvadores deben venir. En el budismo, dice que Buda Maitreya debe venir para que se realice la Tierra de Buda. Esto significa que esta entidad cambiará la mente de uno, la mente humana falsa, por la mente del mundo divino y cuando esta entidad resucite a este mundo con el cuerpo y mente del origen, de la Verdad, dentro de la mente de aquel que se ha hecho uno con el mundo, será la salvación. La salvación de Dios se realiza a través de su palabra. Resucitará al mundo y resucitará al hombre dentro de la mente de la persona cuya mente humana ha ido a la mente del origen. Esto es sólo posible cuando el dueño del mundo haya venido.

Nosotros, en las diferentes religiones, estamos buscando realizar la Verdad solamente con palabras. Cuando el Salvador venga, todas las personas se harán la Verdad y podrán vivir eternamente. Hasta ahora solamente hemos hecho sumas en la mente para tratar de obtener algo. Por más que escuchemos incontables veces que amemos al enemigo, no podemos amarlo; y por más que uno escuche incesantemente sobre la Verdad, uno no se hace la Verdad. Únicamente renaciendo en el mundo de la Verdad, luego de cambiar la mente humana por la mente del mundo, de Dios, es el camino a la vida eterna y es el camino a hacerse la Verdad.

La Verdad, que hasta ahora se ha buscado realizarla solamente con palabras, puede ser realizado por todo aquel que sustraiga la mente humana. Hasta ahora fue la era de sumas en la mente, pero ahora es la era en la cual se realiza la sustracción y todos pueden hacerse la Verdad, renacer y vivir. Meditación Maum es grandioso porque realiza todas las metas fundamentales que el hombre buscaba realizar en religiones.

No sea engañado, no existe un mundo más allá para el hombre
Si el hombre muere desaparece

Comúnmente hay personas que realizan un rito de paso al cielo y también hay personas que creen que serán salvados en sus religiones; pero si el hombre no recibe la salvación estando vivo, cuando muera tampoco podrá ser salvado y terminará muriendo. En otras palabras, terminará muriendo por no poseer el Alma y Espíritu de la Verdad.

La salvación es cuando el hombre falso e incompleto se hace verdadero, real y completo. La salvación es nacer nuevamente en el reino del Creador, que es el cimiento original y la Verdad viva, con su Alma y Espíritu. La salvación es cuando el mundo y el hombre renacen con el Alma y Espíritu del origen que es el Padre Santo y Espíritu Santo, el Dhammakaya y Sambhogakaya y viven en el reino del cimiento original que es Dios, Janolnim.

La mente humana ha hecho copias de todas las existencias de este mundo y como uno está dentro de la copia de este mundo, está viviendo en un mundo falso. Esta es la razón por la cual el hombre vive en su propio mundo mental dando la espalda a Dios, a Janolnim, a Buda y al mundo, y por esto el hombre está muerto. En consecuencia, el hombre es falso e incompleto. El que no logra completarse, como vive en un mundo falso y la persona que vive en un mundo falso es inexistente, terminará muriendo eternamente. Esto es el Infierno.

El Infierno es un mundo construido por uno mismo poseyendo las fotos que ha tomado de existencias del mundo. El Infierno es la foto; como es un mundo de copias, es inexistente y es estar muerto. De las personas que viven en este mundo, no hay nadie que sea Justo y como no han podido nacer en el mundo, el hombre está muerto.

No existe otro lugar más hermoso que este mundo mismo que Dios ha creado, aquí y esta tierra es el Cielo. Pero como este Cielo está superpuesto con el mundo mental humano, el hombre no vive en el Cielo, sino que vive dentro de su propia mente y es por esto que está muerto.

Si el hombre muere sin poder nacer en el mundo completo y correcto, sin saber el propósito y la razón de la vida, se terminará muriendo.

Pero la manera para que el hombre pueda vivir, es negar e ignorar a su propio mundo y a sí mismo. Sólo así uno podrá retornar al mundo, el cual es el reino de Dios, de Janolnim y de Buda; y a voluntad del dueño del mundo uno deberá renacer, resucitar, reencarnar y luego vivir en el mundo de la Verdad. Esto es la salvación.

Milagro

Comúnmente el hombre vive esperando milagros. También existen personas que por sus conciencias de inferioridad, buscan milagros para mostrarse superiores frente a otras personas. Un milagro es hacer que algo inexistente exista, es hacer posible lo imposible, es salvar al que está muerto. Nosotros comúnmente vemos trucos de magia que parecen milagros, pero es simplemente un truco que engaña al ojo humano.

Uno puede pensar que han habido incontables milagros en este mundo, pero sin embargo no han habido milagros. Reiterando, el verdadero y único milagro es convertir la falsedad en la Verdad, es hacer que las personas muertas se hagan la Verdad, y es hacer que nazcan y sean salvados. Esto es el único milagro. Incluso el hecho de que un enfermo se cure de una enfermedad, es porque la falsedad de su mente es perseguida y la mente verdadera se va llenando en uno.

Puede existir la posibilidad de que la enfermedad de uno se cure al ignorarse a sí mismo teniendo fe en la Verdad, pero cuando uno se desecha a sí mismo que es falso, y únicamente queda la mente verdadera, esa enfermedad también desaparecerá. He escuchado incontables historias de personas que se han curado de enfermedades al practicar Meditación Maum, pero no he fundado Meditación Maum con el propósito de curar enfermedades. Mi objetivo es hacer que la persona falsa vaya al mundo en donde eternamente no hay muerte y que su Alma y Espíritu renazca luego de haber recuperado su naturaleza original para que pueda vivir la vida del flujo de la naturaleza. El murmullo de que se hanyan curado de sus enfermedades no entra a mis oídos.

Como el hombre puede ver solamente la imagen de las cosas, y al no tener la Verdad, no puede ver la Verdad que es la vida; y desde su mente dice que algo existe o no, que está muerto o que está vivo, pero esto es simplemente la mente humana. Lo que realmente está vivo es la Verdad, la falsedad está muerta.

Cuando se sustraen absolutamente todas las existencias materiales del universo, quedará solamente el cimiento original que es el cielo vacío. Esta existencia es la Verdad y es el dueño del mundo. Únicamente la persona que sea esta existencia misma podrá resucitar a las personas con el cuerpo y mente de esta existencia. Los milagros que el hombre menciona son milagros de asuntos humanos, pero el verdadero milagro de este mundo es salvar a todas las personas en el mundo y hacer que el mundo resucite con el cuerpo y mente del cimiento original en el mundo. Esto es el milagro de los milagros y sólo esto es el verdadero milagro. Los milagros de asuntos humanos son milagros ilusorios y falsos que no tienen sentido ni propósito; no son indispensables y pueden ser realizados o no.

Hacer que el hombre nazca en el mundo verdadero y darle vida eterna es el milagro del mundo y no un milagro de asuntos humanos. El hombre intenta encontrar algo y hacer cosas para ser altivo;

hace esto y aquello para obtener algo, pero como no tiene otra alternativa que seguir poseyendo más dentro de su mente falsa, termina cargando más peso sin poder lograrlo. Absolutamente todos los deseos de uno, de lograrlo y vivir bien en el mundo humano, nunca podrán ser realizados en ningún sitio. Pero si uno resta su mente se realizará el milagro y todo se logrará. La mente del mundo que es la mente de Dios es la que logra todo. Si uno se libra de absolutamente todo, sabiendo que es un despropósito seguir poseyendo penas y deseos por sus fracasos de logros, es cuando podrá lograrlo.

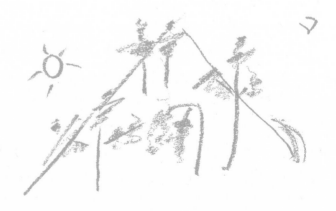

Conocimiento erróneo del hombre

Como el hombre está viviendo dentro de su propio mundo mental, da por sentado que es correcta la información que uno ha guardado desde la niñez a través de sus ojos, orejas, nariz, boca y su cuerpo. Sin embargo, cualquier cosa que no esté dentro de su mente, es generalmente rechazado y negado.

Desde hace mucho tiempo, Corea tuvo su propia religión. En aquel momento el budismo entró al país y al hablar de ideas nuevas, no ha podido ser aceptado. De esta manera Chadon Lee fue ejecutado y eventualmente, el budismo fue la religión en el período de los Tres Reinos y luego el confucionismo se adoptó como la religión de las masas en la era Choson, y en tiempos modernos, el cristianismo ha entrado a nuestro país pero también fue oprimido.

Las personas que están sumergidas en sus ideales, no podrán aceptar ideas diferentes a lo que ya están asentadas en sus mentes. Incluso hoy en día, la religión de cada individuo es diferente. Todas las personas piensan que la religión que uno cree es la correcta y como antes, las de otras personas no pueden ser aceptadas. Así es la mente humana.

Para el hombre es muy difícil poder aceptar cualquier cosa que sea que esté fuera de sí mismo. Incluso en Israel, los que practican el judaísmo no creen en Jesús. Además, las diversas religiones fueron oprimidas cuando entraron a un país nuevo y a causa de la religión han habido incontables guerras en los países de todo el mundo y muchos han muerto. Se cree en el judaísmo que el mesías vendrá al mundo y en el cristianismo se cree en la segunda venida de Cristo al mundo, el omnipotente y omnisciente Dios. Ellos creen que Dios vendrá montando una nube junto a ángeles que soplan la trompeta. Los cristianos no entienden su verdadero significado y lo entienden al pie de la letra esperando de esta manera, la venida de Dios. Como no hay ninguna persona que sepa sobre la existencia de Dios, la Verdad, hay demasiadas interpretaciones erróneas.

Dios es el cielo vacío del universo, es el universo en donde se han sustraído todas las existencias materiales. Ésta es la Verdad y es la forma original de Dios. Si esta existencia viene como hombre, ya que posee el cielo en su mente, ha venido del cielo; y como es la existencia que ha nacido del Alma y Espíritu, si Dios viene al mundo como hombre, Dios será hombre. Sin embargo las personas creen que vendrá una existencia diferente al hombre. Aunque su forma sea humana, tiene en su mente el reino de Dios, posee el Alma y Espíritu del Cielo y aunque esta persona que ha nacido en el Cielo original, la Verdad, viva junto al hombre, nadie lo reconocerá porque para el ojo humano será simplemente un hombre.

De las palabras omnisciencia y omnipotencia, el primero significa saber los principios del mundo. El hombre sólo sabe lo que ha aprendido y leído pero si uno se hace el gran universo, Dios, sabrá todos los principios del mundo. Este universo sabe del origen del hombre; de dónde viene, por qué vive y hacia dónde va. Pero el hombre no lo puede saber.

La palabra omnipotencia significa que todas las creaciones existentes en este mundo nacen del cimiento original que es el origen del universo y Dios, el cimiento original, las ha creado. Absolutamente todo lo que existe en este mundo es creado por Dios. Como Dios crea todo en millones de formas diferentes es omnipotente.

Sin embargo, la creación del Espíritu Santo en el hombre y en todo lo que existe en el mundo, lo realizará a través de su palabra. Por esto también es omnipotente. Mientras que el hombre cree que realizar milagros o cosas similares es omnipotencia, el único que puede salvar al hombre falso e incompleto y al hombre muerto convirtiéndolo en Verdad, es la persona omnipotente. Asimismo, la resurrección, de permitir la vida al mundo entero en el reino de la Verdad, lo hará la persona omnipotente. Como únicamente la persona omnipotente puede salvar a la persona que tiene una conciencia muerta, es omnipotente. Como Dios omnisciente y omnipotente hace que este mundo nazca en su reino del Cielo, el reino de Dios, es omnipotente. Omnipotencia es permitir que todo nazca y viva.

La creación material de Dios ocurre cuando se crean las condiciones necesarias en donde hay un balance y harmonía entre esto y aquello. El que hace que estas creaciones materiales vivan eternamente es Dios a través de la creación espiritual por medio de sus palabras que son su voluntad y la Verdad. Esto es la verdadera habilidad omnipotente y solamente Dios puede realizarla.

No espere al Salvador, a Maitreya, a Chong-do-riong o a Dios que sea acorde a los preconceptos del hombre; si existe un sitio en donde el hombre logra completarse, lo más probable es que esta existencia ya haya venido. En vez de esperar una imagen, si existe un sitio en el cual se realiza la Verdad, será justamente la era en la cual se realiza la Verdad. Aunque uno espere eternamente al Salvador que sea acorde a sus preconceptos e imágenes, nunca llegará. Así como los judíos esperan a su mesías, uno también esperará de la misma manera.

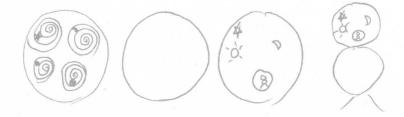

Materia original del universo

Este universo es infinito, no tiene principio ni fin. Siempre ha existido y el origen de este universo es el cielo antes del cielo, el vacío. Todas las creaciones son la encarnación de ésta.

Esta existencia no es material y aunque no exista absolutamente nada en ella, esta existencia es Dios y Espíritu, es una existencia numinosa y es la forma de la Verdad misma que es omnisciente y omnipotente. Todo lo que existe en este mundo es lo que esta existencia ha creado. Es una existencia omnipotente y además, cuando uno obtiene la conciencia de ésta, sabrá todos los principios del mundo y por esto es omnisciente. Nosotros comúnmente hablamos de instinto; esta habilidad original puede existir porque justamente esta existencia existe.

Esta es una existencia inmaterial y como está viva, existe el mundo y las creaciones del universo. La razón y el propósito por el cual el hombre ha venido al mundo es para completarse y nacer en el reino de esta existencia.

Es el principio del mundo que absolutamente todas las existencias provengan de esta existencia y retornen a ésta. En otras palabras, es el principio del mundo que éstas provengan del origen y se hagan el origen mismo; la vida luego de haber renacido en el reino de esta existencia, es la vida eterna y es el Cielo. El propósito final de todas las religiones es vivir aquí luego de haber nacido aquí.

El universo está vivo, y sólo cuando el dueño de esta existencia haya venido como hombre existirá salvación, la resurrección y la vida eterna.

El significado de que Maitreya viene del Trayastrimsa
Y que el Salvador viene del Cielo

En el Mahaparinirvana sutra del budismo dice que en el futuro, Buda Maitreya deberá venir para poder realizar por completo las cuatros virtudes de la Nirvana y dice también que Buda Maitreya vendrá del Trayastrimsa. El Trayastrimsa es el espacio original de la Verdad; cuando esta existencia haya venido como hombre, éste será Maitreya. Asimismo, dicen en el catolicismo que Dios vendrá del cielo. Estas frases también se han referido al cielo de los cielos, al cielo de la Verdad, al cielo original. Han hablado de la venida de esta existencia como hombre.

Estas dos existencias difieren en sus expresiones pero son la misma existencia. Como ésta es la única existencia que puede salvar, se cree en el budismo que Buda Maitreya deberá venir para poder obtener la salvación y se cree en el catolicismo que Dios deberá venir del Cielo para que el hombre pueda ser salvado.

Cuando se elimine por completo a este mundo que es el mundo Saha, el mundo de la humanidad, y cuando se elimine el mundo de pecados según el catolicismo, es cuando se podrá nacer en el Cielo, en el Trayastrimsa, siendo esto la salvación. Pero aunque esta existencia venga, como el hombre ve solamente su forma, no habrá nadie que pueda reconocer a esta existencia. Para poder reconocer esta existencia de la Verdad, debe existir en la mente de uno el Cielo y el Trayastrimsa.

Como la mente humana es la mente del karma y del pecado, como no existe la mente original, la Verdad, únicamente la persona que haya limpiado ese pecado y karma podrá saber de la venida de Maitreya, de Dios y podrá ser salvado. El salvador fantasioso que nosotros esperamos jamás vendrá.

Solamente la persona que haya conseguido el perdón de sus pecados y de su karma, al tener dentro de su mente la Verdad, Buda, Dios y Janolnim, podrá reconocerlo. Cuando esta existencia venga como hombre hará que el hombre limpie su karma y pueda lograr las cuatro virtudes de la Nirvana que son la Mahaparinirvana y la Anupadisesanibbana. En otras palabras, enseñará la manera de vivir en el Paraíso y llevará al hombre al paraíso luego de guiarlo hacia la iluminación del origen y de uno mismo.

Cuando Dios venga al mundo hará que el hombre nazca en el Cielo, en el reino de la Verdad, luego de eliminar al pecador y su mundo de pecados en el que vive. Al morir el pecador y al nacer en el nuevo reino de la Verdad, es el renacimiento y la resurrección.

Cuando la mente de uno se haya hecho uno con la existencia de la Verdad, es cuando dentro de su mente existe el reino de la Verdad que es Buda, Dios, Janolnim. Únicamente este reino es el que puede vivir eternamente y el único que puede realizar la resurrección es el Salvador mismo, el dueño de este reino.

Vida

Vida significa estar vivo; vida es la existencia de la Verdad cuya Alma y Espíritu que es el origen del mundo, está viva. La vida es una existencia viva pero el hombre nunca ha aprendido sobre ella y como no existe vida en la mente de uno, no hay nadie que sepa de la vida.

La mente humana es una mente semejante al mundo. Aunque el mundo sea la vida misma, una mente semejante al mundo no tiene vida. En otra palabras, el humano vive dentro de una copia del mundo que está en su mente, conformado por fotos mentales de todo lo que existe en el mundo; es por esto que no sabe del origen de la vida. Únicamente esta vida es la existencia inmutable que vive eternamente, y absolutamente toda la materia existente en este mundo son la expresión de esta vida. Todo lo que existe en el mundo está vivo porque esta vida, que es el origen, está viva. Además, todas las cosas materiales vienen de esta vida que es el origen y retornan a esta vida. Esto es el principio de la naturaleza y es la Verdad.

Generalmente, el juicio de que la materia está viva o muerta, basados en preconceptos humanos, son simplemente expresiones de la mente del hombre, pero la muerte genuina es la del hombre que está muerto. El hombre no puede estar vivo porque vive en su mundo mental que es ilusorio, el cual ha abandonado la vida.

Este mundo es inexistente. Cuando una máquina fotográfica toma fotos de existencias del mundo, quedan fotos que son representaciones de existencias reales, pero no son reales. Al igual que dentro de una cinta de video, el hombre se mueve, habla, respira y come pero no es real. Dentro de su propio mundo mental, uno habla de sí mismo y su destino de vida está determinado por su programa; por lo tanto, el hombre vive su vida de acuerdo al guión de su cinta de video. Así como el contenido de la cinta de video es un mundo aparte e inexistente en el mundo, la vida del hombre presenta el mismo fenómeno.

Así como todo lo que está filmado en el video debe existir en el mundo para que tenga vida, el hombre también debe existir en el mundo para que tenga vida. El origen de la vida es el gran universo; el sitio anterior a toda creación de la materia, es el cielo vacío exento de toda materia, es el Creador y el origen del gran universo. Como este universo mismo es el origen de la vida, el hombre también debe retornar a este origen y cambiar su mente humana por la mente del mundo, del origen y renacer en este mundo; esto es la vida verdadera. Uno debe desechar la mente semejante al origen y debe hacerse el origen mismo para que tenga vida. Lo que está dentro de la cinta de video es ilusorio, pero cuando uno desecha esta cinta de video, entonces existirá el mundo real e incluso uno mismo se hará real. Meditación Maum tiene el método para eliminar esta cinta de video y permite nacer y vivir en el mundo verdadero.

La existencia de Dios y de Buda

Incluso Jesús dijo que Dios está en tu corazón, asimismo en el budismo se dice que Buda está en tu mente y a su vez, dice que tú eres Buda. Éstas son palabras que han hablado sobre la fuente del mundo, han hablado del origen del mundo que es la materia original y han hablado sobre el dueño del mundo. Esta existencia supervisa a todas las creaciones del universo, al mundo y es el Creador mismo; pero la razón por la cual el hombre lo desconoce, es porque no tiene en su mente esta existencia de la Verdad. Simplemente gira y gira en una adivinanza eterna dentro de sus pensamientos preconceptuales.

La mente humana es una foto ilusoria construida a partir de fotos que se han tomado de existencias del mundo. Al tener éstas, no tiene la mente Verdadera, por lo tanto no puede ver ni reconocer a esta existencia verdadera. Por ejemplo, como un trozo de madera no tiene mente, invariablemente de que exista este trozo de madera dentro del vacío o no, ese vacío no tiene alteraciones. Aunque exista el trozo de madera, el vacío dentro de éste existe e incluso aunque no exista, el vacío también existe. Al igual que esto, cuando el hombre vacíe completamente su mente humana y se haga uno con la mente original del universo, el humano podrá saber de Buda y de Dios.

La mente humana es egocéntrica. Uno ha creado su propio

mundo tomando como molde el mundo, y como uno ve y piensa dentro de ese mundo falso que uno ha construido, el hombre cree erróneamente que vive en el mundo. Pero vive dentro de su propio mundo que está superpuesto con el mundo real, y por esto, no puede saber del mundo y no puede ver ni escuchar al mundo.

Buda y Dios son el mundo anterior a este mundo. Como el hombre sabe de acuerdo a lo que tiene dentro de uno mismo, sólo aquel que posea el mundo Verdadero luego de haberse despojado del mundo de su cuerpo y mente, sabrá los principios del mundo, que es Buda y Dios. Puesto simple, aunque el hombre no sepa del mundo, el gran universo sabrá del mundo ¿no es cierto? Cuando la mente del hombre retorne a la mente del mundo, que no es la mente humana, sabrá completamente el mundo y sabrá todos los principios del mundo, así como también, el origen del hombre, por qué vive y a dónde va. Sabrá también del Cielo y del Paraíso, sabrá que el hombre no es Justo, que es una falsa ilusión y una existencia sin sentido y sabrá hasta el hecho de que el hombre está muerto.

El hombre está de acuerdo o en desacuerdo si concuerda o no con sus preconceptos y hábitos, pero los preconceptos y hábitos que uno tiene es una foto falsa, por lo cual no es para nada correcto. Esto es porque la mente humana en sí es una mentira. Por esto Jesús dijo que en el mundo no hay Justos y en el budismo se dice que la mente humana es falsa. Han dicho también que la vida del hombre no tiene sentido, que no existe la vida humana y que es inexistente. Es el principio del mundo que el hombre provenga del origen y retorne al origen.

Como el hombre deambula perdido en su mundo mental, éste es un mundo ilusorio inexistente y es el Infierno. La vida del hombre y su propósito es ir al Cielo estando vivo, pero el hombre en vez de realizar esto, se es leal a sí mismo que es falso en un mundo falso. Uno no ha logrado nada ni ha hecho nada dejando solamente un vacío y terminaría muriendo eternamente con sufrimientos y cargas. Entonces, el dilema de las incontables personas que han vivido una vida y se van, es entre vivir o morir. Uno cree erróneamente que está vivo porque está viviendo, pero esta existencia es inexistente y es solamente uno mismo el que vive pensando que está vivo.

Una persona sabia querrá vivir eternamente y querrá saber los principios del mundo, pero un tonto terminará muriendo eternamente. Si mi mente no se hace uno con el Creador que es el origen, la materia original del universo y la eterna Verdad, terminaré muriendo. Si no retorno a los comienzos del origen, como únicamente esto es la Verdad, terminaré muriendo.

Retornar a los comienzos es el Wonshi-Banbon. Esta existencia que es el comienzo, es la existencia del Creador. Es la Verdad, el espíritu divino eterno e inmortal y es el Alma y Espíritu mismo del origen del universo. Esta existencia es la eterna Verdad, Dios, Buda, Janolnim y Alá.

Mente

Desde que el hombre nace en el mundo, posee la mente humana ya que ha nacido como hijo del hombre incompleto. A esto, los cristianos lo llaman el pecado original. El pecado propio, es haber construido un mundo propio de fotos, que son tomadas de existencias del mundo, en su mente humana. Existen además en este mundo, los preconceptos y hábitos que son sus emociones, y éstos se han hecho la mente de uno.

El hombre piensa que sólo lo suyo es correcto de acuerdo a lo que ha poseído en su mente. Como esto es una foto que no es real, todo es falso. Todas las personas de este mundo viven en un mundo de fotos y aunque vivan sin saber que viven en un mundo falso, piensan que están vivos. Pero únicamente aquel que haya nacido en el mundo Verdadero sabrá que las personas que viven en el mundo humano son falsas. El hombre cree que está vivo porque el mundo y su propio mundo mental están superpuestos, pero como el hombre vive dentro de su mente, está muerto.

El mundo Verdadero, el mundo real, es el mundo más allá en donde uno mismo y su mundo mental han sido eliminados. Este es un mundo eternamente vivo y es un mundo en donde no hay muerte. El origen de la Verdad aparece cuando eliminamos absolutamente todo lo que existe en el mundo. En otras palabras, el espacio que queda después de que muero y desaparezco, y elimino todas las formas que existen en el universo, es el espacio del Creador que es la conciencia original. Como esta existencia no es material, el hombre dice que es inexistente, pero es una existencia viva que certeramente existe y no desaparece. Únicamente esta existencia es la Verdad. Si el hombre no renace como esta existencia misma, la palabra eternidad no puede ser usada ni uno podrá vivir eternamente.

Las incontables existencias de este mundo son la representación de esta existencia. El principio del mundo es que absolutamente todas las creaciones provengan de esta existencia verdadera y retornen a esta existencia. Para la salvación de este mundo y el hombre, si no renacen en este reino, no habrá manera de que vivan eternamente. Esto es así porque la Verdad no existe de otra manera.

Si el hombre vive dentro de su mundo mental, es el Infierno que es un mundo falso, pero si vive luego de haber renacido en el reino Verdadero, en el reino de Dios que es el mundo de la Verdad, esto es la resurrección, es la vida eterna y es el paraíso. La persona que vive sin muerte luego de haber renacido en este reino estando vivo, es el que ha nacido en el Cielo y en el Paraíso por haber sido resucitado en vida. Sólo la persona que haya ido al Paraíso estando vivo vivirá en el Paraíso.

El Cielo y el Paraíso no existe aquí ni existe allí, sino que existe dentro de la mente de la persona cuya mente se ha hecho la Verdad misma y ha renacido con las propiedades de la Verdad. De las personas que han sido resucitados dentro de sí mismos, el que vive a voluntad de la Verdad, de Dios, su ser que ha resucitado vivirá.

Pero la persona que vive a propia voluntad humana, dios morirá y su ser ilusorio vivirá. Si toda la gloria le es atribuido a la Verdad, vivirá aquel que se ha hecho la Verdad; pero si uno dice que uno mismo lo ha hecho, vivirá entonces el fantasma ilusorio que es uno mismo.

Lo grandioso de Meditación Maum es que posee el método para eliminar completamente la mente falsa de uno, y también porque posibilita al hombre hacerse la mente de la Verdad, resucitar con las propiedades de la Verdad y vivir eternamente. En la era incompleta han querido lograr la Verdad sólo con palabras, pero en definitiva no la han logrado. Si uno no puede hacerse la Verdad y por más que quiera lograr la maravillosa Verdad solamente hablando, no podrá alcanzar la Verdad, la completud humana, por lo tanto no habrá ningún sentido. Sin embargo en las distintas religiones han dicho que vaciemos la mente y también han dicho 'bienaventurados los pobres en espíritu, porque de ellos es el reino de los cielos'. El sitio que hace esto posible es Meditación Maum.

Ahora ya no es la era incompleta, sino que es la era completa en la cual se realiza la completud humana. Aunque exista el método para completarse, aunque exista el método para ir al Cielo, si uno no sigue ese método e ignora la Verdad por su incorrecto sentido común, terminará muriendo eternamente. Únicamente vivir dentro de la Verdad luego de haberse hecho la Verdad misma es la libertad, la liberación y uno se convertirá en el ser que solamente hemos escuchado en palabras, un santo.

Tercera Parte

El Mundo Divino, Más Allá del Mundo Humano

La persona que ha absuelto todo su pecado y karma no tendrá en su mente residuos, y cuando se muere hasta uno mismo que es el pecador, entonces el reino de Dios se hará su propia mente. La persona y el mundo que han renacido en este reino con el Alma y Espíritu de la Verdad, eternamente no morirán. Luego de haber absuelto todos nuestros pecados y karmas, y cuando ya no existo ni mi mundo mental existe, es cuando uno puede retornar al origen, al reino de Dios y al reino del Creador. El reino divino, es un reino en donde el ser falso de uno puede ir solamente cuando haya muerto. El hombre vive en un mundo de innumerables preocupaciones y pensamientos delusorios, de sufrimientos y cargas; pero el reino de Dios es un mundo libre, y al haberse librado de todo, uno obtiene libertad absoluta incluso del nacimiento, envejecimiento, enfermedad y muerte. Este reino es el reino perfecto que es la Verdad.

Hasta ahora fueron eras que han buscado la Verdad hablando
Ahora es la era en la que se realiza

Hasta ahora han habido incontables escrituras sagradas como la Biblia y los sutras budistas. Estas escrituras difieren en el modo de expresarse pero todos transmiten la misma idea. Todas estas escrituras sagradas han hablado desde la perspectiva de la Verdad, del origen y no desde el mundo mental humano; pero como el hombre vive en su propio mundo mental, no hay posibilidad de que pueda entender las palabras vivas del mundo, del origen.

Como uno escucha estas palabras desde su propia mente, las interpreta de acuerdo a sus pensamientos y a consecuencia de esto, las religiones existentes se han ramificado en innumerables sectas religiosas. A medida que esto sucede, desaparece el origen y se interpretan adaptándose a los conceptos del hombre. Hay además, muchas sectas religiosas en donde adecúan estos preconceptos a la vida actual del hombre. Finalmente hemos llegado a la era en donde el hombre busca a la Verdad a su conveniencia.

La era en la que estuvimos solamente escuchando palabras de la Verdad fue una era incompleta. Por más que escuchemos palabras de santos ¿el hombre puede hacerse la Verdad y completarse? El hombre debe absolver sus pecados y sus karmas, debe completarse y renacer; esto el único camino para que el hombre pueda vivir. El hombre es incompleto porque ha pecado de traición ya que no vive en el reino del dueño, sino que vive en el mundo que uno mismo ha creado, que es una copia de las pertenencias del dueño. Además ese mundo es el mundo ilusorio. Ahora es la era en la cual todos pueden hacerse la Verdad misma arrepintiéndose de sus pecados. Solamente la absolución de los pecados es la salvación y ahora es la era en la que uno puede nacer como la Verdad misma en el reino de la Verdad.

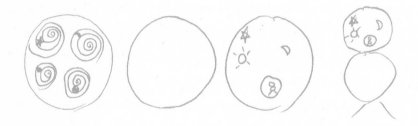

Busquemos el Cielo y el origen de la Verdad dentro mío

En la Biblia dice que el hombre fue creado semejante a Dios. Semejante significa que se asimila pero que no es esa existencia misma. El hombre toma fotos de las formas de Dios, del mundo Verdadero, y las guarda en su propia mente. Así como una cámara fotográfica toma fotos del mundo, la fotografía es semejante al mundo pero las fotos no son reales, la mente humana que ha tomado fotos del mundo, que es el reino de Dios, es falsa. Es semejante pero es falso. El hombre es falso. Por esto, cuando el hombre deseche la mente humana falsa que está dentro uno y cuando la existencia de la Verdad se haga la mente del hombre, es cuando este mundo verdadero existe dentro de la mente de uno. Aquí es el Cielo y existen dentro mío Dios y Buda, que son la Verdad.

En otras palabras, la persona que tenga la Verdad dentro suyo sabrá de la Verdad y también podrá saber del Cielo. Cuando el hombre deseche su propia mente y su mente se haga una mente real a través del arrepentimiento, el hombre se hará el mundo de la Verdad y podrá nacer y vivir en el Cielo estando vivo.

La salvación no significa que uno mismo vivirá

¿Por qué el hombre necesita de la salvación? ¿Qué es la salvación? Absolutamente todas las creaciones del cielo y tierra provienen del cimiento original y retornan al cimiento original. Esto es el principio del mundo y el principio de la naturaleza. Pero como el hombre es falso, una ilusión, debe eliminar esta falsedad y hacer que el hombre retorne al mundo, y solamente cuando nazca nuevamente como una persona verdadera, es cuando el hombre se salvará. Solamente cuando renazca en el mundo, puede recibir la salvación. El falso ser de uno debe desaparecer completamente para que pueda hacerse verdadero.

Existen cuentos que vagamente describen que el hombre logrará la completud humana y que el hombre vivirá eternamente en el Cielo. Cuando la mente humana que es una mente falsa, se haga la mente del origen, de la verdad y uno renace en el origen, es cuando Dios, Buda y el Cielo existen dentro de mi mente. Hasta ahora ha sido la era incompleta en la cual solamente han hablado de la Verdad basados en las escrituras de sus religiones. Pero ahora ha llegado la era en la cual todas las personas pueden hacerse la Verdad misma, todos pueden hacerse santos, lograr la completud humana y ser inmortales con vida eterna. Hasta ahora ha sido la era en la que solamente se sumaba en la mente humana, pero ya que esto se realiza cuando uno hace la resta, el método para hacerse una persona verdadera y renacer como la Verdad desechando la ilusión falsa de uno, es el método de nuestro estudio.

Significado de resurrección y nacer nuevamente

Cuando escuchamos la palabra resurrección creemos que una persona muerta vuelve a la vida, pero su significado es el nacimiento del verdadero ser de uno cuando su ser falso muere. Como el hombre está viviendo dentro de su propia mente ilusoria, el hombre es falso. La razón por la cual no existe en el mundo una persona verdadera, es porque el hombre no puede vivir en el mundo, sino que vive dentro de su mente y es por esto que no hay ni un hombre Justo. Cuando no exista el mundo mental humano, cuando no exista el hombre y los objetos existentes en el mundo, queda el cimiento original del origen, el origen de la Verdad. Cuando la persona que ha obtenido la mente del cimiento original, de la Verdad, renace en este cimiento original, esto es la resurrección verdadera.

Dice en la Biblia que si uno no resucita a través de la palabra de Dios no habrá nadie que viva, y dice también en el sutra budista que Buda Maitreya salvará al mundo. Estas palabras significan que la existencia Verdadera hará que el alma y el espíritu de uno renazca en este reino Verdadero, siendo esto la resurrección. Resucitar significa que el ser verdadero de uno renace dentro de su mente que se ha hecho el cimiento original, la Verdad. Resucitar significa la muerte del hombre falso y el renacimiento del hombre verdadero. Resucitar, salvación, resurrección y nacer nuevamente significan que el ser falso de uno muere y el verdadero ser de uno resucita dentro de sí mismo, renace y nace nuevamente.

Cuando eliminamos y matamos por completo al faso ser de uno, quedará solamente la Verdad. Resucitar es nacer nuevamente con el cuerpo y mente verdadero en el reino de la Verdad que es real. Sin embargo, si uno no renace a través de la palabra de la Verdad, no podrá ser resucitado. Para renacer, nacer nuevamente, resucitar, uno deberá morir completamente para poder renacer y resucitar.

El significado de que solamente vive la persona que logra el Gein y el Inchin

Hay un templo budista llamado Gein en la región de Japchon. También hay explicaciones sobre Gein-samme. Cuando mencionan la palabra Gein se han referido al reino de la Verdad. Dice en el registro Chong-Gam-Rok, registro profético coreano, que busquemos a la persona que posee el Gein y también que busquemos la cima Gein. Todas estas frases significan que las personas que no posean el sello serán todas falsas, pero no hay nadie que sepa el verdadero significado del sello. En la Biblia dice que únicamente viven aquellos que han recibido el sello (inchin) de Dios. Estas frases se refieren que recibir el sello es recibir el permiso para que uno mismo y el mundo nazcan en el reino de la Verdad.

Para obtener el sello, uno mismo debe primero obtener la redención de sus pecados y debe hacerse la mente de la Verdad. Luego, uno mismo y el mundo deben renacer dentro de la mente de la Verdad. Sólo el dueño de la Verdad puede realizar esto, y sólo el dueño posee el sello que permite a uno nacer en su reino. Permitir que el mundo humano, que es un mundo falso, exista tal como es en el mundo verdadero, es imprimir el sello.

Para esto, el hombre debe destruir el mundo falso y ser resucitado y renacido con las propiedades de la Verdad en el reino Verdadero. Como ese Alma y Espíritu, ese cuerpo y mente, es igual a uno mismo, le es permitido la vida eterna. La materia del cuerpo y mente termina muriendo, pero si uno renace en el origen, en el ci- miento original, como es la Verdad misma no tendrá muerte. Por esto, hay que encontrar a la persona que posee el Gein y encontrar a la persona que imprima el sello.

Esto es posible únicamente cuando el Creador, el dueño del ci- miento original haya venido al mundo como hombre. Por más que exista la persona que le imprima el sello, las personas piensan úni- camente, desde sus propias mentes, de acuerdo a lo que han leído en sus escrituras sagradas. Tampoco podrán reconocer a la persona que le imprima el sello, la que posee el Gein, ni su verdadero sig- nificado. La mente de uno debe ser limpia para poder reconocerlo.

Fe

Han dicho en el cristianismo que los que tienen fe en Jesús irán al Cielo. Aunque esto sea cierto y a su vez obvio, las personas la interpretan de manera incorrecta. Jesús no es una imagen o una figura física, sino que es la Verdad. La Verdad es el origen del universo, es el gran Alma y Espíritu del universo que es Dios y el Creador. Jesús tuvo la mente de la Verdad, por lo tanto tener fe en Jesús significa ser uno y estar en unión con la mente de Jesús. Sin tener fe en la Verdad, sin estar a la voluntad de la Verdad y sin arrepentirse, no existe manera de ser uno con la mente de Jesús.

Para estar en unión con la mente de Dios, del Creador, de la Verdad, hay que eliminar la mente falsa de uno mismo y servir a la existencia de la Verdad en la mente de uno. Esto es lo que significa creer en Jesús y tenerle fe. La mente humana es pecadora porque el hombre posee su propio mundo mental, el cual impide ser uno con Dios, con Jesús. Eliminar su mente pecadora, recibir la redención de sus pecados y ser uno con Jesús es creer en Jesús y tenerle fe.

Nadie puede vivir si no nace como el hijo de Dios luego de unificarse con la mente del reino de Dios. Sólo la Verdad realizará esto.

La fe genuina es salvaguardar la Verdad negando y desechando la mente que uno ha poseído y a uno mismo. Al fallecer Jesús se ha hecho uno con la mente de Dios, de la Verdad. En otras palabras a través de su muerte estableció el puente entre el hombre y Dios.

Es obvio que nosotros también debemos desecharnos a nosotros mismos como Jesús en nombre de la Virtud, y cuando la mente del Creador, de Jesús, se haga la mente de uno, es cuando uno le tiene fe a Jesús. Además, si uno desecha completamente su cuerpo y mente, su mente se hará la mente de Jesús y entonces tendrá fe. Esta es la manera de tener fe a Jesús.

El estado en el cual uno puede amar al enemigo

Sin haber nacido en el reino perfecto de Dios, el hombre no puede amar al enemigo.

Al practicar Meditación Maum, según la cantidad de mente falsa que uno haya desechado, esa misma cantidad de la Verdad entra en uno y según cuán Verdad se haya hecho uno, uno entiende, siendo esto la iluminación. Mientras más se haya hecho la Verdad al limpiar su pecado, más cerca estará de la Verdad. Cuando no queden en lo absoluto los preconceptos y hábitos de uno y la existencia de uno mismo muera completamente, su conciencia alcanzará el estado completo. El estado completo significa que la conciencia de uno se ha hecho la conciencia del origen mismo, de la Verdad; y el que ha nacido en ese reino, como es la Verdad misma, no tendrá muerte y será una persona completa.

Uno no puede amar al enemigo aunque le sea dicho que lo haga, sino que la conciencia del hombre debe hacerse el reino de Dios; debe nacer y vivir en ese reino para que dentro de su mente, no existan enemigos y así podrá amar. Dentro del mundo mental humano existen los enemigos. Sólo aquel que haya nacido en el reino de la Verdad, en el Cielo estando vivo, podrá amar al enemigo.

El que vive a voluntad propia morirá
El que vive a voluntad de la Verdad, el ser
verdadero de uno, vivirá

Hay una frase en la Biblia que dice 'el que muere por mí aunque muera no morirá'. Esto significa que si uno se abandona a sí mismo que es falso por la Verdad, uno vivirá siendo la Verdad. La voluntad de uno es falsa y por la misma razón, uno se termina muriendo; pero la persona que abandona a su ser falso y vive a voluntad de la Verdad, su ser que se ha hecho Dios podrá vivir. Si uno se ha hecho Dios estando vivo y vive para el reino de Dios privándose de sus voluntades, de diversiones individuales y de cosas que le gusta hacer, viviendo únicamente para Dios, su ser que se ha hecho Dios vivirá. Pero el que hace lo que le place y vive a su propia voluntad, su fantasma falso vivirá y entonces Dios morirá.

Aquel que se abandona a sí mismo y se sacrifica para el reino de Dios y el que acumula fortunas en ese reino, como esa fortuna existe en el reino eterno de Dios, esa fortuna será de uno. En la Biblia dice 'el tonto acumula fortunas en la tierra y el sabio acumula fortunas en el Cielo', esta frase significará lo mismo.

Misericordia, amor, benevolencia

Comúnmente escuchamos y hablamos con frecuencia las palabras 'te amo'. Esto es así entre novios, matrimonios, padres e hijos.

Para el hombre, el amor es la realización de sus propias demandas. En otras palabras, es un amor de expectativas; el amor incondicional no existe en el hombre. El amor puro es dar sin ser consciente de que ha dado, esto es el amor verdadero, misericordia y benevolencia.

Ya que existe el cielo vacío del origen, todas las creaciones del cielo y tierra y el hombre existen. Aunque el cielo vacío haya creado esto y aquello proporcionándole al hombre alimento, agua y herramientas, no espera nada a cambio, siendo esto la mente del origen. Si la mente humana no se hace la mente del origen, no puede existir en el hombre la verdadera misericordia, amor y benevolencia.

La mente que no guarda pensamientos de que ha hecho algo para el prójimo, la mente que no guarda lo que uno ha hecho, en otras palabras la mente que la mano izquierda no sabe lo que la mano derecha ha hecho, existe únicamente cuando la mente de uno se haya hecho la mente de Dios. El hombre dice que ame al enemigo, que tenga misericordia y benevolencia, pero como el hombre posee su propia mente, subyace en ella el enemigo.

Cualquiera que destierre a su propia mente maligna, egocéntrica y falsa, cambiándola por la mente de Dios, de la Verdad, no vivirá para sí mismo sino que lo hará para el mundo y vivirá para otros. En la mente egocéntrica del hombre no existe amor, benevolencia ni misericordia; solamente posee una mente que se venera a sí mismo.

Cambiar la mente humana por la mente de Dios es la práctica de Meditación Maum, y hacer que uno renazca como el hijo de Dios es la práctica de Meditación Maum. Meditación Maum es el sitio en donde uno puede hacerse santo, Buda y el hijo de Dios, que hasta ahora solamente los hemos escuchado nombrar. Es el sitio en donde se realiza la completud humana.

El mundo más allá del mundo humano, el mundo divino 1

El hombre ha estado viviendo desde hace mucho tiempo. El hecho de que el hombre nace y vive en este mundo, es debido a la armonía entre el cielo y la tierra. Pero el hombre vive como le place, construye su propio mundo y vive pensando que está vivo por su propia grandeza.

El hombre no sabe que puede existir porque el mundo existe; ni tiene una poca de gratitud, vive únicamente reconociendo lo que le parece correcto y rechazando lo que le parece equivocado de acuerdo a su estructura mental.

Nosotros debemos pensar aunque sea una vez, acerca de la existencia original que es el origen de este mundo. Supongamos que yo no he nacido en este mundo. Este universo seguramente seguirá existiendo. Supongamos también que todas las estrellas del cielo que se han formado en este universo no han nacido. Solamente quedará el cielo vacío ¿no es así?

Esta existencia ha existido antes del comienzo, existe ahora y existirá incluso luego de una eternidad. Es el cimiento original, la Verdad, que existe por sí mismo. Esta existencia es eterna e inmortal, es el Chong y Shin, es el Alma y Espíritu verdadero, es el Padre Santo y Espíritu Santo, es el Dhammakaya y Sambhogakaya.

No hay absolutamente nada en esta existencia, pero en esta

inexistencia existe Ilshin (un Dios). La inexistencia es el cuerpo del universo y Dios es la conciencia del universo. La palabra numinoso en nuestro país significa que esta existencia está viva, por esto crea el cielo y la tierra. En otras palabras, todas las creaciones del universo se originan desde esta existencia y retornan a esta existencia; esto es la Verdad, es el principio del mundo. Se dice en coreano 'ha retornado' cuando alguien fallece. Esto significa que ha retornado a esta existencia.

Esta existencia es el origen, es la fuente y es el Creador. Dicha existencia viva es el dueño del universo. Esta existencia ha dado origen al cielo y la tierra y es esta existencia la que ha creado el cielo y la tierra. Esta existencia es el dueño de este universo, pero si el hombre nace y vive centrado en sí mismo, visto esto desde la perspectiva del dueño, certeramente el hombre no estará viviendo una vida correcta.

El hombre vive dentro de su propia mente y es por esto que el hombre es pecador. Esto es un acto de traición que ha dado la espalda al cimiento original, al dueño del mundo.

Dios ha creado al hombre semejante a él, siendo su apariencia original el cielo vacío del universo infinito; pero el hombre ha copiado dentro de su mente las existencias que Dios ha creado en este mundo, construyendo de esta manera, el mundo mental de uno. Dios es el mundo verdadero y lo que el hombre ha construido es una cinta de video del mundo que es una foto.

Una fotografía captura en ella las pertenencias del mundo, pero el hombre almacena en su mente las pertenencias del mundo y sus acontecimientos. El sitio en donde el hombre vive está superpuesto con el mundo y es por esto que cree que vive en el mundo, pero en realidad vive dentro de su cinta de video del mundo. Por esto el hombre es pecador y esto es el karma.

El mundo de Dios es el mundo visible y existente que no es el mundo humano. Aunque el hombre haya nacido en el mundo, nunca ha podido vivir en el mundo.

Únicamente cuando el hombre haya destruido su propio mundo mental y uno mismo haya desaparecido, el hombre puede ir al mundo verdadero que es el mundo divino. El mundo divino, el mundo de la Verdad, es un mundo más allá del mundo ilusorio del hombre, que existe solamente cuando éste se haya destruido y desaparecido completamente. Cuando el hombre que es ilusorio y pecador haya desaparecido, es cuando puede ir al mundo divino.

Como el hombre es incompleto, hemos seguido las palabras de santos y hemos escuchado que existen personas que se han esforzado para hacerse santos en diferentes partes del mundo. Sin embargo, sólo Dios sabrá la forma de llegar al reino divino. Es más, sólo Dios podrá resucitar a aquel que ha llegado al reino divino.

El reino divino es el reino en donde uno vive siendo eterno e inmortal. El Salvador será el dueño del mundo, llevará al hombre al reino de Dios y lo resucitará una vez allí. Incluso resucitará al mundo en el reino de Dios. En otras palabras, todas las existencias que existen en este universo vacío deben ser resucitados con las propiedades del cielo original para que puedan vivir eternamente como el cielo vacío.

El mundo humano es un mundo falso

El mundo humano es un mundo imitado

El mundo humano es un mundo inexistente

El mundo humano es un mundo muerto

El mundo humano es un mundo sin vida

El mundo humano es un mundo infierno

El mundo humano es un mundo de fotos

Y el mundo humano es un mundo de sufrimientos y cargas

Pero el mundo divino es el mundo de la realidad

El mundo divino es un mundo real

El mundo divino es un mundo existente

El mundo divino es un mundo vivo

El mundo divino es un mundo que tiene vida

El mundo divino es el mundo del Cielo

El mundo divino es el mundo original de donde se han tomado
las fotos

El mundo divino es un mundo de libertad y de liberación.

El método para ir al reino de Dios que está más allá del mundo humano, es destruir completamente el mundo mental de uno y uno mismo debe morir para ir al mundo de Dios. Como Meditación Maum tiene este método, está provocando una sensación.

Vayamos al Cielo y al Paraíso estando vivo

Hemos vivido escuchando repetidamente los términos 'el Cielo' o 'el Paraíso'. Incluso hemos escuchado en distintas religiones que el que hace actos de bondad en esta vida irá al Cielo y al Paraíso, pero el que hace actos de maldad irá al Infierno. Por eso mucha gente se cuestiona sobre la existencia o la inexistencia del Cielo, pero no hay respuesta dentro del mundo mental humano y muchos se esfuerzan para ir al Cielo a través de religiones.

Ese Cielo no es un lugar fantasioso, sino que es aquí, este mundo. El Infierno es el mundo mental de uno y el mundo libre del mundo mental, es este mundo. El mundo creado por uno mismo, habiendo tomando fotos del mundo desde su mundo mental, es el Infierno; y cuando destruimos completamente este mundo, queda el mundo que es el Cielo. El Infierno es un mundo ilusorio y el Cielo es el origen del mundo real que es el reino del verdadero Alma y Espíritu.

Cuando la mente del hombre se haya hecho uno con la mente de la Verdad estando vivo, uno con el mundo Verdadero, dentro de la mente de esta persona que se haya hecho la Verdad, existe el Alma y Espíritu del mundo de la Verdad; aquí será el Cielo. El que no va al Cielo estando vivo y se muere, termina muriendo porque se queda en el mundo de infiernos en donde no existe este Cielo. Uno debe cambiar su mente humana por la mente de Dios estando vivo y así podrá vivir en el reino de Dios, de la Verdad; esto es el Cielo. Es por esto que el hombre debe completarse para poder nacer y vivir en el Cielo.

La alternativa para la completud humana

Por muchísimo tiempo el hombre ha tratado de lograr la completud humana a través de innumerables métodos como el ascetismo o a través de diversas religiones. Aunque se puedan observar y oír rastros de esfuerzos para lograr completarse por todas partes, hasta ahora no ha habido un método, una alternativa, que logre completar al hombre. Así como nos preguntamos si es que no hay un 'método místico' que solucione nuestros problemas cuando enfrentamos dificultades en la vida, como en este mundo no existe el camino, en otras palabras, el 'método místico' para llegar a la Verdad, es probable que el método para hacerse la Verdad misma sea el método más difícil del mundo.

Incontables personas han vivido y se han ido, pero la razón por la cual no ha existido un método para la completud humana, es porque la existencia completa, el dueño del cimiento original, no ha venido a este mundo. El hombre ha estado esperando al Salvador porque sólo esta existencia de la Verdad sabrá el camino a la Verdad y hará que el hombre se haga la Verdad.

El Salvador es el que salva al mundo. Su alternativa para la salvación del mundo, es hacer que la mente humana se unifique con la mente del origen del mundo y hacerlos nacer en el reino de la Verdad. Únicamente el Salvador sabrá realizar esto porque el mundo mental humano desconoce el mundo de la Verdad. El método que posibilita al hombre hacerse uno con la mente del mundo verdadero, eliminando completamente el mundo mental humano, está abierto al público en Meditación Maum. El método de Meditación Maum, el cual es sistemático y científico, es la alternativa para la completud humana. Cuando el hombre resta y elimina completamente su mundo mental, aparece la existencia de la Verdad que es el estado completo. Si renacemos en este reino se realiza la completud humana. La completud humana es renacer como la Verdad misma.

Únicamente el Creador, la Verdad
Puede matar a nuestro falso ser

La Verdad sabe de la falsedad y sabe de la Verdad, pero la falsedad no sabe ni de la Verdad ni de la falsedad. Por esto, no hay nadie en el mundo que sepa de la Verdad. El hombre es falso, no es genuino y es incompleto. Como vive en un mundo que uno mismo ha construido dando la espalda a Dios, la Verdad, el hombre es una existencia pecadora que no tiene vida. Sólo el dueño del cimiento original, la Verdad, sabrá el método que permita eliminar y matar a este ser falso. En otras palabras, solamente la Verdad sabrá cómo eliminar la falsedad.

Aunque el hombre, en la era incompleta, haya practicado numerosas variantes del tao y se haya esforzado para lograr algo, no ha habido nadie que lo haya logrado porque si alguien lo ha logrado, deberá existir un método que permita lograr la completud humana. Pero si alguien proclama que uno mismo lo ha logrado, no habrá manera de saberlo para el hombre ignorante.

Para poder lograrlo, debe existir una alternativa que posibilite a todos lograr la completud humana y debe existir su método. En otras palabras, el sitio en donde posibilite a las personas hacerse la Verdad, como existe en ese sitio la Verdad, será posible. Sólo la Verdad puede hacer que uno se haga la Verdad; sólo la Verdad puede reconocer al falso, desecharlo y matarlo; y como únicamente la Verdad puede realizar la resurrección, la Verdad es el Creador.

¿Que hará la Verdad, el Salvador, cuando venga?

En el budismo, creen que cuando venga Buda Maitreya los llevará al Paraíso luego convertirlos en Buda; y en el cristianismo, hay quienes piensan que cuando venga el Salvador, llevará al Cielo a aquellos que asisten a la iglesia. Mientras que cada uno tiene una imagen diferente acerca del Salvador, comúnmente creen que es considerado, amable y que Él los aprecia. Sin embargo, el hombre está muerto por su pecado y karma; y para que el Salvador pueda absolver sus pecados y karmas, debe hacer que el hombre falso deseche incesantemente y mate a su propio ser falso; por lo tanto, visto desde los preconceptos y hábitos del hombre, el Salvador sea tal vez su peor enemigo. El Salvador salva al hombre matándolo; matando al hombre que posee los preconceptos y hábitos. Por supuesto que el Salvador tiene gran misericordia y compasión, pero para el hombre será su enemigo porque el falso trata de hacerse la Verdad poseyendo su falsedad.

Nosotros debemos saber con certeza el hecho de que el Salvador no es alguien apasionado, que tiene gran misericordia, compasión y amor; sino que es alguien que mata a mi ser que es falso. Si muero por completo quedará solamente el Cielo y el Paraíso. El Salvador que permite a uno nacer en ese reino, hará que el hombre deseche completamente sus preconceptos, hábitos, dinero, amor, honor, familia y todo lo que uno posea hasta a uno mismo en nombre de la Justicia. El Salvador que enseñe esto será el peor enemigo del hombre.

El resultado es que el hombre nace nuevamente, renace, resucita en el Cielo y recibe la vida eterna. Esto es el verdadero amor, el verdadero afecto, la gran misericordia y compasión misma del Salvador. Éste hará que el hombre limpie su pecado y karma, permitiendo así que vaya al reino del Salvador y hará que renazca allí. Por lo tanto, el hombre falso e incompleto se librará absolutamente de todo deseo de posesión. La absolución del pecado y karma es retornar al origen, a la mente del Creador. Solamente la persona que absuelva sus pecados y limpie su karma irá al Cielo y vivirá eternamente.

Significado de renacer como el Espíritu Santo

Reencarnar, renacer, resucitar y renacer como el Espíritu Santo significan lo mismo. El significado de que no habrá nadie que viva si no renace del agua y del Espíritu Santo, es que el hombre, uno mismo que es pecador, está muerto. El agua es lo que limpia los pecados y el agua es lo que absuelve los pecados de uno. Es por esto que todavía hay sitios que bautizan con agua. No es que el pecado sea absuelto por el agua, sino que el método que limpie el pecado será el agua. El hombre debe limpiar todos sus pecados para poder recibir dentro suyo al Espíritu Santo; como el hombre posee una mente falsa que ha copiado el mundo, eliminar esta mente es limpiar el pecado de uno.

Cuando este pecado desaparece, uno se hace la mente del Creador, de Dios y del cimiento original que es la Verdad. Uno debe unificarse con la mente del mundo y debe renacer y reencarnar en este mundo. Nacer del Espíritu Santo significa que su Alma y Espíritu renace en el reino de la Verdad.

Las personas piensan que uno mismo vivirá tal como es; aunque la apariencia de uno sea la misma, el ser verdadero de uno cuya mente se ha hecho el mundo, que no es su ser falso, renace con el Alma y Espíritu de la Verdad en ese reino, y esto es nacer del Espíritu Santo, lo cual significa nacer con el Alma y Espíritu de la Verdad. También, aunque mi cuerpo material desaparezca, significa renacer y resucitar en el reino de la mente verdadera que se ha hecho uno con el mundo dentro mío; mi ser que ha nacido en el reino de la Verdad, luego de que mi falso ser haya muerto, será inmortal con vida eterna.

No existe material que sea eterno en este mundo. Las existencias materiales provienen del origen que es el cimiento original y retornar al origen es el principio del mundo y la Verdad. Sin embargo, para poder nacer en el reino de la Verdad, en el cimiento original, sólo el dueño del reino de la Verdad es el que puede dar vida nueva a través de sus palabras ya que él es la vida misma.

Renacer del Espíritu Santo significa que luego de haber absuelto todos los pecados de uno, su Alma y Espíritu del Espíritu Santo renace en el reino del Espíritu Santo que es el origen y la Verdad. Estando vivo, dentro de la mente de uno debe existir el reino del Espíritu Santo; estando vivo, dentro de uno que es el reino del Espíritu Santo, su Alma y Espíritu de la Verdad debe renacer para que pueda vivir.

Este Alma y Espíritu existe dentro mío aunque mi cuerpo esté vivo o aunque mi cuerpo haya desaparecido; como esta existencia es el hijo de Dios que existe en el Cielo, eternamente no tendré muerte. El hombre debe vivir en el Cielo estando vivo; es más, solamente la persona que haya ido al Cielo es el que vive eternamente, pero la persona que posee su propia mente que es un mundo ilusorio, morirá por ser falso. Uno deberá hacerse la Verdad estando vivo y uno deberá nacer del Espíritu Santo estando vivo. La absolución del pecado de uno deberá ser la prioridad primordial, y la persona que lo haya absuelto, habrá logrado poseer la mente de la Verdad y habrá reunido los requisitos para poder renacer en ese reino.

Renacer, reencarnar, resucitar y nacer del Espíritu Santo significan que desaparece el mundo mental falso de uno; como la mente del mundo existe dentro de uno, uno nace en ese reino de la Verdad, y el que ha nacido en ese reino, es el que ha nacido del Espíritu Santo. Yo, que soy falso, debo morir; debo ir más allá de mi mundo falso luego de la muerte, y este mundo falso también debe desaparecer para que quede solamente la Verdad, y nacer en el reino de la Verdad es renacer del Espíritu Santo.

El universo completo, este mundo completo

Ser completo, es vivir eternamente y no morir. Desde que el universo se creó hasta ahora, no ha estado completo. El universo mismo, que es el vacío y el origen, es el dueño. Esta existencia es la existencia de la Verdad viva. Ésta ha creado el aspecto material del universo. Absolutamente todas las existencias del universo se han creado a partir del balance entre el cielo y la tierra; estas existencias materiales provienen del origen, del dueño, y retornan al origen. Esto es el principio del mundo y es también la Verdad. Todas las existencias materiales que existieron y desaparecieron, han vuelto todos al cimiento original. Esto es sentido común básico. Provenir del origen y retornar al origen es la Verdad.

Sin embargo, este mundo logra completarse cuando todas las existencias materiales de este mundo renazcan con las propiedades del origen, del cimiento original. Esto es la salvación que todas las religiones hablan y esto es cuando el universo se completa. Así como la materia fue creada por el dueño del universo, el mundo se completará cuando venga el Creador como hombre, el dueño del universo, el dueño de la Verdad; y es cuando resucitará al mundo en el reino completo. En la era completa, el hombre completo vendrá al mundo y lo completará. La venida del dueño del origen como hombre en este mundo, es referido en las religiones como la venida del Salvador. Solamente esta existencia, podrá salvar.

La completud del universo lo realiza el dueño del cimiento original en persona

El universo es infinito y no tiene fin. El origen de este universo es el cielo antes del cielo; este lugar original es el cimiento original del universo. Una casa existe porque existe el suelo y el suelo existe porque existe la Tierra. La Tierra existe porque existe el cielo. Todas las estrellas, el Sol y la Luna existen porque existe el cielo que es el cimiento original.

El espacio en donde se han restado el oxigeno, los varios gases y materiales existentes en el aire, es el cimiento original, el espacio del Creador, es el espacio del Alma y Espíritu del universo. Este es el espacio del Espíritu Santo y Padre Santo, es el espacio del Sambhogakaya y Dhammakaya, es el espacio del Chong y Shin. El espacio completamente vacío del universo es el espacio del Chong, que es el cuerpo del universo; y en este vacío inexistente existe Shin que es 'un dios'. Esta existencia es el origen del universo; como esta existencia no es material, es una existencia inmaterial y una existencia viva.

Esta existencia es el Creador, la Verdad. El Alma y Espíritu de esta existencia, la Verdad, ha creado las existencias materiales de este mundo. Como esta existencia es omnisciente y omnipotente, las existencias materiales han sido creadas según las condiciones del ambiente. En otras palabras, cuando las condiciones son justas, esto y aquello aparece. Esto existe porque esto y aquello existe, eso existe porque esto existe.

En las diferentes religiones han dicho que Maitreya, el Salvador, vendrá desde el Trayastrimsa, el cielo de los treinta y tres mil lis; y que Dios vendrá del cielo y que salvará al mundo. Éstas existencias hacen referencia a la existencia del cimiento original que vendrá como hombre y salvará al mundo.

La verdadera salvación significa que solamente esta existencia verdadera llevará a las personas a este reino de la Verdad. Como el hombre posee karma y pecado, sólo aquel que los haya limpiado podrá ir al reino del cielo. El deber de esta existencia, del Salvador, será hacer que estas personas resuciten y vivan en el reino Verdadero en donde eternamente no hay muerte. En otras palabras, la existencia inmaterial del cimiento original, el Creador, ha creado la materia; y cuando el Creador, el origen del universo, haya venido como hombre, hará vivir eternamente al mundo y al hombre en su propio mundo verdadero, en el mundo del Alma y Espíritu.

El dueño del origen en persona, la Verdad y el Creador en persona, hará posible la vida eterna luego de hacer que el Alma y Espíritu verdadero del hombre nazca en el reino del Chong y Shin. Esto es la completud del universo, la completud del mundo y la completud humana. La persona que complete el universo será el hombre completo y será el Salvador. La creación de la materia y de la mente lo podrá hacer solamente el Creador.

Cielo nuevo y tierra nueva

Se dice en el cristianismo que en la segunda venida de Cristo, los que creen en Jesús vivirán eternamente en el nuevo cielo y en la nueva tierra; mientras que en el budismo, se dice que cuando Buda Maitreya venga, el hombre vivirá eternamente en la tierra de Buda. Estas dos expresiones difieren en palabras pero significan lo mismo. Como las personas de este mundo están viviendo en el mundo de pecado y en el mundo saha, no están viviendo en el cielo nuevo y en la tierra nueva que es el mundo de la Verdad. Entonces, cuando se destruya por completo este mundo saha y del pecado, aparecerá el mundo de la Verdad; y dicho lugar es justamente el cielo nuevo y la tierra nueva. Ir a este reino, renacer y vivir en este reino, es vivir en el cielo nuevo y en la tierra nueva.

No existe lugar más hermoso y más perfecto que este mundo que Dios ha creado, pero el hombre ha dado la espalda a Dios tomando fotos del mundo en su mundo mental. Como el mundo y el mundo mental humano están superpuestos, el hombre cree erróneamente que vive en el mundo. Este mundo mental es el mundo de pecado y es el mundo saha.

Hacer que el hombre, quien vive dentro de su propio mundo mental, renazca en el mundo de la Verdad, es la salvación y aquí es el cielo nuevo y la tierra nueva. El reino de Dios, este mundo, ya está completamente salvo, pero como el hombre vive dentro de su pecado y karma no puede ir a este reino. Entonces sólo aquel que se arrepienta de sus pecados podrá ir a este reino.

La persona que intente lograrlo para uno mismo, no lo podrá lograr. Es común ver en Meditación Maum a personas que meditan por un tiempo, aprenden el método y quieren realizar algo por su propia cuenta; de esta manera, hay también muchas personas que dejan el camino. El estudio de Meditación Maum es limpiar la mente de uno mismo que es falsa y a uno mismo que es falso, para que se haga la mente de la Verdad y renazca, nazca nuevamente y resucite en el reino de la Verdad.

Como uno mismo es falso, aunque uno trate de lograr o haya logrado la Verdad, será falso. Es posible la iluminación hasta un cierto nivel dentro de su propio ser falso, pero ya que en niveles avanzados hay métodos diferentes para cada nivel, que destruyen el mundo ilusorio de uno, es imposible lograr la iluminación si no es a través de estos métodos. Si la Verdad se realiza en Meditación Maum, uno podrá realizar la Verdad en el sitio en donde se pueda lograr la Verdad, pero será imposible lograr la Verdad para la persona que intente realizarla por su propia cuenta, ya que ha dado la espalda al sitio que permite la realización de la Verdad. Ya que es uno mismo el que quiere lograrlo, será imposible. En otras palabras, es como tratar de lograr la Verdad dando la espalda a la Verdad. El significado de realización es hacerse la Verdad misma, pero intentar lograr la Verdad dando la espalda al sitio en donde existe la Verdad, es la falsedad y no la Verdad la que trata de realizarse y en consecuencia no podrá lograr la Verdad.

Cuando veo a las personas que logran la Verdad, son aquellas que agradecen por sus iluminaciones y que meditan silenciosamente con perseverancia. La persona que no puede lograrla, es una persona con mucho pecado y karma, cuyo molde mental es demasiado fuerte como para ser destruido por uno mismo. Es también por estar atado a su propio molde mental sin poder escapar de él. Sólo la persona que realmente se arrepienta, sabiendo que uno mismo es falso e ilusorio, podrá lograr la Verdad.

El propósito del cielo

El cielo es aquí, allí también lo es; aquí y allí, todo es el cielo.

El mundo entero existe porque existe el cielo vacío; esto es el propósito verdadero del cielo. La totalidad de este universo, los cuerpos celestiales del universo y todas las existencias de la Tierra existen porque existe el cielo vacío. Así como es posible para nosotros vivir porque existe la Tierra, la Tierra y los cuerpos celestiales existen porque existe el cielo vacío. Todas las existencias que existen en este mundo, pueden existir porque existe el cimiento original.

Aunque desaparezca cualquier objeto material o aunque desaparezca absolutamente todo, incluso los cuerpos celestiales, el cielo vacío seguirá existiendo. Es más, aunque todo exista, el cielo vacío existirá dentro de la materia.

El lugar de procedencia de toda la materia es el cielo vacío, e incluso cuando ésta desaparece sigue siendo el cielo vacío; siendo esto, el principio del mundo. Una vez más, el lugar de procedencia y el lugar a retornar es el cielo vacío, siendo esto el principio del mundo. Como esto, aunque hayamos venido al mundo y perecido, lo normal es hacerse el cielo vacío.

Sin embargo, el hombre construye su propia mente y vive dentro de ella. No puede vivir en el mundo, sino que está dentro de su mente, dentro de un mundo ilusorio que es una réplica del mundo, por esto el hombre termina muriendo. Cuando el hombre borre este mundo mental y se unifique con la mente del cielo vacío, es cuando el hombre, en este cielo vacío, uno mismo y el mundo renacerá en el cielo con el Alma y Espíritu de la Verdad. Sin renacer aquí, nadie podrá vivir.

El Cielo que el hombre cree que existe en algún lugar, es un Cielo ilusorio. Únicamente cuando uno nazca en el cielo vacío, que realmente existe como la Verdad, la palabra 'vida eterna' podrá establecerse. Esto significa que la persona que haya nacido en el Cielo vivirá en el Cielo.

El cielo vacío es la Verdad, Dios, Buda, Janolnim y Alá. Esta existencia existe como el Chong y Shin, como Padre Santo y Espíritu Santo, como Dhammakaya y Sambhogakaya. Está completamente vacío y es aquí donde Un Dios existe. El vacío es el cuerpo del universo que es el Alma; y Un Dios es la conciencia del universo que es el Espíritu.

La totalidad de la materia de este mundo nace a partir de las condiciones del ambiente; si esto existe aquello existe, si aquello existe entonces esto existe. Absolutamente todo lo que existe es la expresión material de la conciencia del universo. La forma de este cielo vacío es la totalidad de la materia existente en este mundo.

El cielo vacío no es material, sino que es una existencia inmaterial. Como esta existencia es inmaterial, no existe lugar que ésta no exista dentro de las cosas materiales de este mundo. Como este cielo vacío es el Creador, no hay sitio que no esté presente.

Para nacer en el cielo que es el cimiento original, el Creador, la

Verdad, hay que borrarse del mundo a sí mismo, y para que su mente sea el cielo vacío, uno deberá renacer con las propiedades de éste para que el hombre vaya al Cielo estando vivo y de esta manera vivirá eternamente.

Únicamente el dueño de este cielo vacío podrá resucitar al hombre en el cielo vacío. Esto será la salvación. Como existe el cielo vacío vivo, pueden existir las estrellas, el Sol y la Tierra; y en ella, existen todas las criaturas y el hombre. Este cielo vacío es justamente el Creador.

Únicamente cuando el dueño de este cielo vacío haya venido como hombre, es posible que el mundo y el hombre nazcan en este cielo vacío; de esta manera el universo se completa. La completud del universo es cuando el universo salva a todo lo que existe. Revivirá en la mente de cada una de las personas, el mundo muerto que está encerrado en cada persona, y el que nace allí, será el dueño de ese mundo y en su mundo reunirá ciudadanos. Es más, la persona que haya nacido en el Cielo, vivirá en el Cielo y obrará para el Cielo.

El propósito del cielo no es el propósito que el hombre piensa que es; aunque el cielo exista más allá de propósitos, el propósito del cielo es que la Verdad obre por sí mismo en el momento adecuado. Ahora es el tiempo en el que este mundo nace en el cielo. Es el tiempo en el que uno mismo también nace en el cielo. Esto es el propósito del cielo y nosotros debemos adentrarnos en el cielo y vivir eternamente. La razón y el propósito de vida del hombre es nacer en el cielo en esta era y vivir eternamente.

El significado de que el Salvador viene del cielo
Y que Buda Maitreya viene del Dorichon

Nosotros pensamos que el cielo se encuentra en algún lugar lejano, pero si la mente humana se hace uno con el cielo, dentro de la mente humana existirá el cielo. Si eliminamos todos los cuerpos materiales de este mundo, queda únicamente el cielo original. Esto es el Verdadero cielo, la Verdad. Esta existencia está compuesta por el Padre Santo y el Espíritu Santo, y la persona que ha nacido por sí mismo en el reino de la mente Verdadera, deberá venir nuevamente a este mundo y éste será el Salvador que realiza la salvación.

Comúnmente la gente cree que el mismísimo Jesús que ha fallecido hace dos mil años atrás vendrá del cielo montando una nube; pero científicamente y realísticamente hablando, esto no es acorde a las leyes de la naturaleza ¿no es así? Cuando hablan de Jesús, se han referido a la Verdad, a la existencia verdadera. Si la existencia de la Verdad viene al mundo, entonces Jesús es quien ha venido y es el Salvador quien ha venido. La persona cuya mente se ha hecho el cielo, la persona cuya Alma y Espíritu ha resucitado por sí mismo en ese reino, cuando esta existencia venga al mundo, entonces será el Salvador quien ha venido del cielo.

Decir que Buda Maitreya viene del Dorichon significa lo mismo. Dorichon es el cielo del cimiento original, el cielo de los cielos. El que ha nacido como la Verdad en esta mente del origen, y el que ha venido nuevamente, será Buda Maitreya que ha venido del

Dorichon. Estas palabras significan que el santo, la Verdad, guiará desde el cimiento original al reino de la Verdad y permitirá la vida. Solamente esta existencia es la que puede realizar la salvación. El reino de la Verdad no existe en otro lugar que no sea aquí, y sólo la persona que haya nacido aquí será la que puede vivir eternamente.

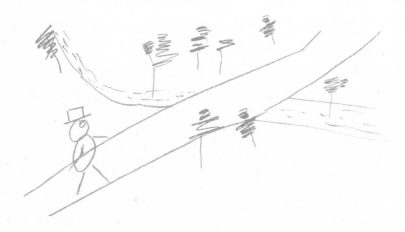

Palabras de santos

Desde tiempos remotos, incontables personas han venido al mundo y se han ido, pero unos pocos se han hechos santos y otros se han ido sin dejar rastros. Los santos del pasado han todos profetizado sobre la venida de la era completa, y que en esa era el hombre iba a poder ir al Cielo.

Por ejemplo, en la filosofía Dan-Gun, han predicho la venida de una era de unidad y de prosperidad. Chong-Gam-Rok, el registro coreano de profecías, dice que en la era incompleta, uno ha buscado el Ship-Sung-Chi en la tierra; pero que en la era completa, uno deberá buscar el Ship-Sung-Chi del cielo. En Corea, desde tiempos ancestrales, se dice que cuando venga Chong-Do-Riong, se hará el imperio del tao y se realizará el tao perfecto. El maestro Chong-San dijo que vendrá el Gran Jefe y el maestro So-Te-San dijo que Maitreya vendrá. En las escrituras budistas dicen también que Maitreya vendrá y en la Biblia dice que el Salvador vendrá.

Todas estas profecías se refieren a que el dueño original del universo vendrá del origen como hombre. Para que el Tao se realice, para que la completud se realice, si no viene la Verdad que es el dueño del universo, no habrá manera. Los santos de antaño no pudieron completar al hombre, sino que sólo han hablado de la Verdad y han predicho la era completa. Así como el universo también tiene sus estaciones, llegará la época en donde el hombre y el mundo se completarán. En esa época vendrá el hombre completo.

Todas las creaciones de este universo vienen del origen de la Verdad y retornan al origen. Esto es el principio del mundo. En otras palabras es venir del universo que es el origen, y retornar al universo. Provenir de la naturaleza y retornar a la naturaleza es el principio del mundo. Para que el universo se complete, debe ser resucitado y debe nacer nuevamente para que su Alma y Espíritu viva eternamente.

Para que el universo se complete, deberá venir el hombre completo a este mundo; para que este universo se complete, si no se nace en el reino del Creador que es el cimiento original, la Verdad y el origen, no habrá manera de que pueda vivir. Los santos de antaño han predicho esta era completa.

Si existe un sitio en donde se realiza la completud, entonces será la era completa. Sin embargo, en el Chong-Gam-Rok claramente expone que aunque llegue la era completa, uno estará arraigado a su religión y que no podrá adentrarse en la era completa. Por preocupación a que no formemos parte de esta era completa, nuestros ancestros nos han dejado muchas pistas a través de expresiones metafóricas. En el Chong-Gam-Rok dice 'busque el sitio en donde se escuche el mugir de la vaca', y que 'encuentre el lugar en donde se limpie la mente'. Aunque nos hayan descrito de manera muy concreta y correcta, las personas no lo pueden entender.

Era de santos

El santo es aquel que no tiene mente propia, es el que posee la mente del Creador que es Dios, Buda y Janolnim; y el que ha nacido en ese reino de la Verdad, es el santo vivo. En otras palabras es el verdadero santo. El santo verdadero es aquel que se ha hecho inmortal. Es aquel que ha limpiado todos sus pecados y es alguien que no posee pecados. El santo es aquel que ha limpiado todos sus karmas y es alguien que no posee karmas. El santo es aquel que ha eliminado totalmente a su falso ser y es el que ha eliminado la ilusión de sí mismo que es su pecado y karma. Es aquel que ha obtenido la victoria completa ante su falso ser y es aquel que ha eliminado el mundo ilusorio.

Si uno se hace santo estando vivo, entonces aquí en esta tierra será la tierra de Buda, aquí en esta tierra será el Cielo; y aunque este cuerpo material desaparezca, aquí en esta tierra del Alma y Espíritu, uno vivirá eternamente siendo inmortal.

El santo es aquel que no tiene ego y es aquel que luego de haberse hecho la Verdad, construirá el reino del Justo y formará personas Justas. Destruirá completamente el mundo en donde el demonio vive y obtendrá la rendición por parte de los fantasmas que viven en ese mundo.

Un santo no vive para el fantasma que es uno mismo, sino que vivirá para las personas del mundo. Es más, salvará al fantasma ilusorio que vive muerto en su mundo fantasma. Este mundo que es el reino santo está ya salvo, pero el fantasma que posee el ego es inexistente ni vive en el reino santo, en el reino del Justo, en el reino de la Verdad. Por esto debe recibir la salvación para que pueda vivir.

La era de santos es ahora, en donde todos deben arrepentirse y confesarse, y hacer que el mundo fantasma, que es aquí en esta tierra, se convierta en el reino de la Verdad para que puedan vivir eternamente en el Cielo.

El santo posee dentro suyo el reino del Justo y reside dentro suyo Janolnim, Dios, Buda y Alá; el hecho de haber nacido en este reino fue también obra del dueño de este reino. Este reino es el Cielo en donde viven únicamente inmortales con vida eterna. El que ha nacido en este reino es un santo, es el hombre completo. El santo es aquel que se ha hecho la Verdad; esto es la completud humana.

Fin del mundo, la apocalipsis

Comúnmente creemos que el fin del mundo y la apocalipsis es cuando el mundo llega a su fin y que todos mueren y desaparecen. El verdadero significado del fin del mundo y de la apocalipsis es el comienzo de un nuevo mundo; por lo tanto, será el fin para el viejo mundo. En el viejo mundo el hombre ha vivido con la mente humana, mientras que en el nuevo mundo, la mente humana se hace la mente de Dios y vive luego de renacer como Dios.

En el viejo mundo, el hombre ha vivido dentro de su mente ilusoria; pero en el nuevo mundo, como uno vive siendo Dios en el reino de Dios, la persona que ha nacido en el nuevo mundo vivirá eternamente; pero para aquellos que terminan muriendo eternamente dentro de sus mentes, será el fin del mundo y la apocalipsis. Desde siempre, han habido hambrunas, sequías y terremotos, pero por éstos el mundo no desaparece. La persona que vive luego de haber nacido en el reino vivo de Dios, vivirá en el nuevo mundo; la persona que vive dentro de su propia mente que es un mundo inexistente en el mundo real, terminará muriendo eternamente.

Ideología de la vida eterna

Las religiones dicen que en el Cielo y en el Paraíso eternamente no hay muerte. Nosotros, para no morir eternamente, si no nacemos nuevamente con un cuerpo y mente eterno en el reino que eternamente no muere, no habrá sitio eterno. En este universo existe un sólo lugar como tal, que es el origen, la Verdad, y la raíz original que ha creado el universo. Esta raíz del origen es el espacio que queda luego de eliminar toda la materia de este universo; en otras palabras, es el espacio en donde no hay estrellas, ni la Tierra ni yo. ¿No quedaría aún el cielo de este universo si se eliminara a toda la materia del universo? Este espacio es el Creador, la Verdad, es eterno y nunca desaparece. Sin renacer en este sitio, no existirá la palabra eternidad. Luego de desechar la falsa mente humana, uno deberá hacerse la mente de este gran universo, y al renacer en este reino con sus mismas propiedades, será entonces aquí el Cielo y el Paraíso.

Este Cielo y el Paraíso existe dentro de la mente de la persona cuya mente se ha hecho el Cielo y el Paraíso. Estando vivo, mi mente debe hacerse la mente de la Verdad, y dentro de esta mente de la Verdad, mi Alma y Espíritu de la Verdad debe nacer para poder vivir eternamente. El hombre no puede vivir eternamente en este lugar sin haber desechado absolutamente todas las cosas materiales, su cuerpo y su mente; no puede vivir si no ha resucitado, renacido, nacido nuevamente luego de que el origen, la Verdad, se haya hecho su mente. El que ha ido al Cielo estando vivo, aunque muera, existirá el Cielo y podrá ir al Cielo.

Significado correcto de vida eterna

Vida eterna significa vivir para siempre. Vivir para siempre significa no tener muerte, y no tener muerte significa estar vivo. Para vivir eternamente uno debe reunir las condiciones para la vida eterna. Esas condiciones para la vida eterna es hacerse la Verdad misma. Para hacerse la Verdad misma, uno debe desechar completamente su karma y pecado que ha cometido; de esta manera, aparecerá la Verdad y uno podrá hacerse la Verdad.

El karma es el pecado que uno ha cometido, y el pecado del hombre es no ser uno con la Verdad original y es estar en contra de la Verdad. Como el hombre vive dentro de su propio mundo mental, debe absolver este pecado y debe retornar a la Verdad del origen y debe renacer como esta Verdad misma para vivir eternamente. La Verdad es lo único que vive eternamente y es lo único que es la vida misma, por lo tanto uno vivirá. En otras palabras el hombre deberá renacer con el Alma y Espíritu de la Verdad, de Dios, para poder vivir eternamente.

El hombre vive inconscientemente atrapado dentro de un mundo infierno que es pecado. Desde el punto de vista de la Verdad, este mundo infierno es inexistente e ilusorio. Como el hombre vive dentro de un mundo ilusorio, no está realmente vivo, sino que está muerto. En otras palabras, el hombre que vive dentro de un mundo inexistente, es inexistente. Es el fantasma ilusorio el que piensa que existe y está vivo.

Dicho mundo es un mundo inexistente y es el mundo de la muerte. Aunque el mundo real esté vivo y todo lo que existe en este mundo esté vivo, como el hombre es la única existencia muerta, únicamente cuando renazca con el cuerpo y mente del mundo podrá vivir. El que ha nacido en esta tierra vivirá en el mundo ilusorio de la tierra, y el que ha nacido en el cielo vivirá en el cielo en cuanto nazca nuevamente con el cuerpo y mente del cielo.

Aunque toda la creación esté viva, el hombre no ha nacido en el cielo por poseer una mente propia. Por esto, la mente de uno debe ser pobre para poder vivir en el cielo. Ser pobre en mente significa que no posee mente humana, y cuando uno no posea mente humana se hará uno con el cuerpo y mente del mundo y no tendrá muerte.

Mira: el cielo ha existido antes de una eternidad, existe ahora y existirá luego de una eternidad. Cuando uno nazca nuevamente con el cuerpo y mente del cielo, no tendrá muerte y vivirá en el cielo eternamente. Este mundo, originariamente ya está despierto y vivo, pero la mente del hombre no puede hacerse uno con el cielo y posee una mente propia que es un acto en contra del cielo. Por lo tanto, uno debe lograr la Budeidad y renacer como el hijo santo de Buda; esto es la salvación y es el objetivo de Meditación Maum.

Únicamente la Verdad puede engendrar a la Verdad y únicamente la Verdad vivirá eternamente. Meditación Maum es el estudio que permite hacerse la Verdad misma. Jo-jo-cham, que literalmente significa falso-falso-verdad, es una frase coreana que implica que luego de que la falsedad desaparezca completamente quedará la Verdad. Las personas que viven en el mundo mental piensan que uno está en lo correcto y que los demás no lo están; pero así como Jesús dijo que en el mundo no habían personas justas, no hay en este mundo personas verdaderas. Por esto, uno debe limpiar su mente incorrecta y todos deberían ir al cielo estando vivo. No habrá en el mundo nada más importante y urgente que esto.

Meditación Maum permite desechar la mente incorrecta de uno que es falsa y permite a uno renacer como la Verdad y ser resucitado como dios inmortal y eterno.

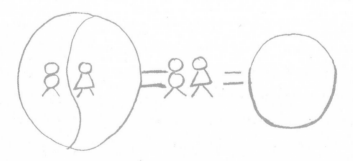

El significado de hacerse rey de ese reino luego de la muere

Dicen en el cristianismo, que cuando uno muere creyendo en Jesús, uno poseerá su propio reino y será el rey de ese reino. Esto significa que Jesús es el Creador, la Verdad. Esta existencia misma es el origen y es la fuente. La persona que ha nacido aquí, luego de que su mente humana haya retornado al origen, poseerá dentro de sí mismo el Alma y Espíritu del mundo, y al renacer aquí, el dueño del nuevo mundo, del nuevo reino, será uno mismo. Aquel que ha nacido en este mundo del Alma y Espíritu en donde todos tienen su propio mundo, como este mundo de la verdadera mente se hará suyo, uno será el rey del mundo del Alma y Espíritu que es aquí en esta tierra. El rey deberá reunir gente en su reino, y deberá acumular sus propias fortunas para que este reino sea próspero.

En la Biblia dice que el tonto acumula fortunas en la tierra y el sabio acumula fortunas en el Cielo. Esto significa que uno debe acumular fortunas en su propio reino, que es el Cielo, para que eternamente sean suyas. El requerimiento básico para ir al Cielo es eliminar la mente de uno mismo, y su mente debe hacerse uno con la mente del origen que es la Verdad, el mundo y el Cielo; de esta manera tendrá al Creador dentro suyo y uno deberá renacer con el cuerpo y mente del Creador, la Verdad.

Como las personas están obsesionadas a sus cuerpos, piensan que es su cuerpo ilusorio lo que vive, en vez del alma y espíritu verdadero del cuerpo, pero si se destruye y se elimina el mundo ilusorio y toda la ilusión, quedará entonces el origen. Uno deberá ser resucitado desde el origen para que sea el nuevo reino, el reino de la Verdad. Este reino está dentro de la mente de uno, y ya que este reino antes no existía, será el nuevo reino. Como uno estaba muerto y renace en este nuevo reino, uno es el dueño y es el rey. El rey deberá construir su reino trabajando con diligencia para su nuevo reino.

El mundo divino, el mundo más allá del mundo humano 2

En religiones, los términos el 'mundo del Gran Emperador de Jade', el 'Paraíso', el 'Cielo' y el 'Reino de Santos' se refieren al mundo de la Verdad. Este mundo es el mundo de Dios. En el mundo humano, desde el momento que el hombre nace, con un cuerpo obtenido a partir de padres pecadores que han dado la espalda al mundo, viene al mundo del pecado y al mundo saha y vive creando su propio mundo dando la espalda al Creador, al mundo y al origen; por esto el hombre es pecador. Cuando uno destruye por completo el mundo humano ilusorio y falso que uno mismo ha creado, e incluso se elimina a sí mismo que es ilusorio y desaparece por completo, entonces uno retorna al origen que es el cimiento original y esto es el mundo de Dios.

El mundo divino está más allá del mundo humano y en dicho mundo no existe la muerte. Es un mundo en donde uno vive eternamente siendo dios inmortal en el Paraíso y en el Reino de Santos.

Cuando no exista el mundo humano, quedará solamente el mundo de Dios. El Creador de este universo es el cimiento original. Yo puedo existir porque existe un suelo que es la Tierra, a su vez la Tierra existe porque también tiene su suelo que es el cielo vacío. Este cielo vacío es el cimiento original; es una existencia viva que es el Chong y Shin, Alma y Espíritu, Padre Santo y Espíritu Santo, Dhammakaya y Sambhogakaya; es el reino del cuerpo y mente del origen que ha existido desde siempre. Una persona que ha absuelto todo su pecado y karma no tendrá en su mente residuos, y cuando se muere el pecador que es uno mismo, entonces el reino de Dios es su propia mente. La persona y el mundo que han renacido en este reino con el Alma y Espíritu de la Verdad, eternamente no morirán.

Luego de haber absuelto todos nuestros pecados y karmas, y cuando ya no existo ni mi mundo mental existe, es cuando uno puede retornar al origen, al reino de Dios y al reino del Creador. El reino divino, es un reino en donde el ser falso de uno puede ir solamente cuando haya muerto. El hombre vive en un mundo de innumerables preocupaciones y pensamientos delusorios, y de sufrimientos y cargas; pero el reino de Dios es un mundo libre, y al haberse librado de todo, uno obtiene libertad absoluta incluso del nacimiento, envejecimiento, enfermedad y muerte. Este reino es el reino perfecto que es la Verdad. Según el Giok Am Iu Rok, libro coreano de profecías, dice que uno no debe buscar el Ship-Sung-Chi (los diez refugios) de la tierra, sino que uno debe buscar el Ship-Sung-Chi del cielo. Este sitio es el Cielo y el Paraíso, es el reino eternamente vivo, es la perfección misma en donde uno vive eternamente libre de toda carga.

Cuando conversaba con un sacerdote, le dije que las personas quieren ir al Cielo sin redimir sus pecados y sin limpiar sus karmas. Esto es como intentar comer una gallina sin desplumarla. Riéndome le dije que aunque las personas quieran ir como serpientes al Cielo, que es el reino divino, sin atravesar por el proceso de limpieza del pecado y del karma de uno, que es equivalente al proceso de desplume de la gallina, no podrán ir al Cielo, al reino divino.

El hombre pretende ir al Cielo sin limpiar sus pecados y karmas, pero como no hay un camino, no podrá ir. Limpiar el pecado y karma de uno es justamente el camino al reino de Dios, y es imperativo que exista un método para ello. La aparición de este método en el mundo será el camino para hacerse dios, un hombre completo.

Esto se está haciendo realidad en Meditación Maum porque posee el método que elimina al peor enemigo de uno, que es uno mismo. En el budismo, Mahaparinirvana significa 'gran muerte', que es desechar y matar completamente mi cuerpo y mente que son falsos; Parinirvana significa desechar y matar absolutamente sin dejar residuos. Esto es el camino al reino de Dios. La muerte de Jesús en la cruz representa que la muerte es el puente que conecta entre el hombre y Dios.

Luego de la muerte de uno mismo que es falso, el mundo más allá que es el mundo de Dios, es un mundo con vida eterna e inmortal, es un mundo de libertad y de la felicidad misma. Para nosotros también, la persona que estando vivo muere y pasa al otro lado, renace y vive allí; será dios.

Literatura ideal, mundo ideal

Cuando decimos que algo es ideal, pensamos que es algo irrealiza-
ble por el hombre, que es una delusión absurda; pero su verdadero
significado, es lograr la meta final que el hombre desea realizar,
que es el estado perfecto.

La literatura ideal es lo que guía al hombre al estado completo,
y para esto, deberá existir un método y una alternativa para realizarla.

Como el hombre es incompleto, nos dirigimos hacia el camino
de la completud humana, que es lo que el hombre anhela, a través
de religiones y variados entrenamientos; pero la razón por la cual
esto no se ha podido realizar hasta ahora, es porque no ha existido
su método.

El hombre, al poseer su propio mundo mental, está viviendo
dentro de ese mundo; por esto, solamente cuando uno destruya
completamente este mundo y se unifique con la mente del mundo,
el mundo original, será el único camino para que la humanidad se
unifique y logre la completud humana. De esta manera, su alma y
espíritu podrá vivir eternamente sin muerte siendo dios inmortal.

Si retornamos a la mente del origen, todos tendremos una mente
sabia, siendo la mente de todos una sola mente, y la humanidad
podrá vivir en paz eternamente.

El hombre, desde su propia mente, piensa que únicamente su

juicio es correcto y acertado, pero la mente humana es la que ha tomado fotografías del mundo que no es la realidad.

Esa mente es falsa y es una mentira; por lo tanto, no tiene absolutamente nada que sea correcto.

La literatura ideal deberá tener un método y una alternativa para que se pueda realizar la educación del hombre completo, que en efecto es lo que el hombre aspira realizar. Cuando esto se realice, se desplegará el mundo ideal.

El mundo ideal es un mundo perfecto en el que no existirán las quejas con la realidad.

Únicamente cuando uno haya retornado a la mente original, que es la que desposee de carencias y se haya librado absolutamente de todos los preconceptos y hábitos del hombre, es cuando el hombre se libra de sufrimientos y logra ser una persona con gran libertad; y al no tener carencias, uno vivirá para el prójimo.

A través de este libro, esta literatura, incontables personas de todo el mundo están desechando al falso ser, que es uno mismo, y están conociendo el método para realizarse como una persona completa; ya que estas personas están logrando el estado completo, este libro es una literatura ideal verdadera que no es delusoria, ilusoria ni ficticia, sino que actualmente en la realidad se está realizando.

Hasta ahora, la humanidad fue incompleta porque no ha existido un método que posibilite desecharse a sí mismo y a su mundo mental, y poder retornar al origen. Pero como ahora existe este método, el hombre se completará.

A través de la literatura ideal, el mundo ideal se realizará. Cuando uno se deseche a sí mismo y deseche su propio mundo mental, la falsedad se hará Verdad y la falsa mente humana se cambiará por la mente real de Dios.

Cuando el hombre se haga la mente de la Verdad, la mente original de Dios, podrá ser siempre feliz, ya que no le faltará nada y se habrá librado de sufrimientos y de pensamientos delusorios.

Si no existiese un método que permitiera desechar, sería delusorio y una fantasía; pero como sí existe, es una literatura ideal posible de realizarse.

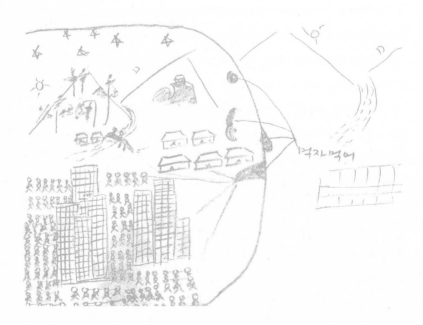

La era de la educación del hombre completo

El ministerio de educación surcoreano ha estado hablando a menudo acerca de la educación del hombre completo. En las escuelas, han utilizado el término Chi-dok-che-ie (entendimiento, virtud, salud, cortesía) para referirse a la persona completa y han dedicado también tiempo para su búsqueda. En China también se han referido al hombre completo como Chi-in-iong (entendimiento, benevolencia, coraje). Esto en el idioma coreano es el Chi-dok-che.

Una persona completa es una persona perfecta. Una persona perfecta es una persona que es la Verdad misma y su verdadero Alma y Espíritu nunca muere. Dicha persona es un santo. Viviendo en este mundo, el término 'persona verdadera' no debe terminar siendo un mero slogan, sino que uno debe hacerse y vivir siendo una persona verdadera para vivir una vida correcta. Aunque el hombre haya buscado con anhelos y se haya esforzado para completarse, no ha sido fácil lograrlo ya que el hombre es incompleto y falso. Perfección significa que no tiene muerte, y debe estar vivo para ser perfecto.

Para que el hombre se haga Justo y para que el hombre sea correcto, se debe entender primero la estructura mental del hombre. El ser humano es una cámara fotográfica que toma fotos de existencias del mundo. Aunque el hombre crea que vive en el mundo, en el instante que ve el mundo toma fotos en su mente y vive dentro de esta foto que ha tomado. Es por esto que el hombre es falso. Como la mente humana está superpuesta con el mundo, el hombre piensa erróneamente que vive en el mundo.

Absolutamente todo lo que uno ha vivido, ¿no está dentro de la mente de uno? ¿No está todo grabado dentro de la mente lo que uno ha visto con los ojos, escuchado con el oído, olido con la nariz, hablado con la boca y lo que uno ha sentido? La mente humana es como una fotocopiadora que copia el mundo y sus acontecimientos. La mente humana es una fotocopiadora que copia el mundo. El hombre no vive en el mundo, sino que vive dentro de su propia mente creyendo que vive en el mundo, y por esto no puede hacerse un hombre completo.

Para que el hombre pueda hacerse un hombre completo, que es el estado completo, uno debe hacer la resta de su mundo mental, que hasta ahora uno ha solamente sumado, para poder dirigirse al camino de la completud humana. Según la cantidad de fotos falsas que uno deseche, aparecerá la misma cantidad de la Verdad. Hacerse la Verdad, para el hombre que es falso, es completarse. Hasta ahora el hombre ha vivido solamente sumando; sin embargo, si uno resta las fotos de su propia mente falsa y hasta se desecha a sí mismo que vive en ese mundo falso, podrá completarse y podrá recuperar su naturaleza original.

El significado de naturaleza original es la esencia del origen. La esencia del origen es la mente de la Verdad, la mente de Dios. Si se elimina la mente que el hombre ha copiado, el hombre puede recuperar su naturaleza original. El mundo original anterior a la copia, es justamente la naturaleza original del mundo. Yo existo en este mundo porque existe la Tierra que es el piso y a su vez, la Tierra existe porque existe el cielo. Hacerse la mente de este cielo es justamente recuperar la naturaleza original. Cuando la mente humana y el hombre falso mueren completamente, queda solamente la mente del cielo, la Verdad; entonces el hombre podrá recuperar su naturaleza original.

Si uno renace de esta naturaleza original que es el cielo, es una persona que ha nacido en el reino correcto, por lo tanto no tendrá muerte; y como uno mismo se ha hecho el mundo mismo, podrá saber todos los principios del mundo pudiendo así, ser la sabiduría misma en persona. Ya que el hombre vivirá la vida del flujo natural, no habrán ladrones ni personas con maldad. Este mundo será verdaderamente el Cielo en la tierra.

La educación de hoy en día está enfocado en el conocimiento para ganarse la vida; pero si se le enseña al hombre el estudio para ganarse la vida luego de que se haya hecho una persona completa, al saber los principios del mundo podrá estudiar mejor y podrá vivir mejor.

Ahora, en esta era de recuperación de la naturaleza original, el país que primero logre la recuperación de la naturaleza original, será el país que mejor viva. Meditación Maum es el sitio en donde uno recupera su naturaleza original, y como esto genuinamente se realiza, muchas personas se juntan para recuperar su naturaleza original y muchos ya la han recuperado.

Ha llegado por fin lo que debía llegar

Viajo por los distintos países del mundo una y otra vez para dar seminarios. El contenido de mis seminarios consiste en que el hombre confirme que está viviendo dentro de su propio mundo mental que es falso, habiendo copiado el mundo y los sucesos que ha vivido. Les hago saber que uno debe salirse de ese falso mundo de fotos para salir al mundo verdadero. Además les digo que si uno no renace en el mundo verdadero, no hay nadie quien viva eternamente.

Al parecer, la gente entiende con facilidad cuando les digo que para hacerse santo, al que solamente hemos escuchado mencionar, uno debe limpiar su pecado y su karma, e ir al reino de la Verdad y renacer como la Verdad. También les digo que es ahora la era en la cual todos pueden ir al Cielo, y que si uno no se hace la Verdad misma estando vivo, les digo que es absurdo creer que irán al Cielo. El Cielo es el sitio en donde sólo Dios, la Verdad, vive; pero si uno no se hace la Verdad, como es falso, terminará muriendo.

Les digo que la Verdad es una existencia eternamente viva e inmutable. Les digo que el reino de la Verdad es el reino en donde uno va luego de haber muerto por completo.

También les digo que se imaginen que no han nacido. Cuando les pregunto si el universo seguiría existiendo aunque no hayan nacido, entonces asienten con la cabeza. Les propongo que piensen que toda la materia existente en este universo no se ha creado. No obstante, les digo que el cielo vacío seguirá existiendo y todos asienten con la cabeza. Les digo que este cielo vacío es el Creador, es Dios, es Buda y es Alá.

Entonces, una persona nace en este mundo, vive setenta a ochenta años y muere; si pensamos en esto, esta persona ya habrá desaparecido. El cielo vacío que es la Verdad, el origen y la fuente, ha existido desde antes de una eternidad y existe ahora. Visto al hombre desde la perspectiva del cielo vacío que es el dueño, el hombre vive una vida que no dura ni siquiera un segundo y desaparece. Todos también concuerdan con esto.

Aunque exista el hombre o no, el cielo vacío permanece tal como es ¿no es así? Los árboles, conejos, ciervos, leones y personas que han habitado la tierra hace diez millones de años, ¿no han ya desaparecido? El principio del mundo es que todas las creaciones del universo provengan del cimiento original y retornen al cimiento original, esto es la Verdad.

Les digo que solamente la persona que en vida, ha renacido en el reino de Dios, luego de haber desechado su mente humana falsa y habiéndola cambiado por la mente de la Verdad, podrá vivir eternamente. Les digo que mi mente debe hacerse el cielo vacío, que es Dios, Buda y Janolnim y que debo renacer con las mismas cualidades que el reino ya resucitado con las cualidades del mundo, para así poder vivir eternamente siendo dios inmortal.

La única existencia eterna en este mundo es el cielo vacío. Sin renacer en el reino de esta existencia con las cualidades de esta existencia, no existe lugar eterno en el mundo. La idea vaga de uno sobre el Cielo será simplemente su propia ilusión del Cielo.

En definitiva, les digo a las personas que tienen que reemplazar su mente falsa por la mente verdadera, y que deben renacer en el mundo que es la mente verdadera misma. Les digo que hay que desecharse a sí mismo que es falso y el ser verdadero de uno es el que nace. Cuando les digo esto, las personas suelen comparar con sus propias religiones y también con sus conocimientos generales. Sin embargo, hay muchas personas que desean empezar el estudio si es que hay un método. Esta es la razón por la cual mucha gente comienza su meditación.

Hubo una persona que afirmaba que por más que haya intentado en diversas religiones y haya intentado métodos alternativos, no había podido hacerse la Verdad. Decía que no podía amar al enemigo, sino que continuaba odiándolo, y lo que le gustaba, seguía gustándole sólo dentro de su mente. También afirmaba saber que uno mismo era falso. Esta persona al escuchar mis palabras dijo 'por fin ha llegado lo que debía llegar' y empezó a meditar y ha logrado nacer el en reino de la Verdad. Luego de un tiempo he vuelto a ver a esta persona y le pregunté si ahora podía amar al enemigo, que si tenía odios, que si tenía lo que le gustaba dentro de su mente. Dijo que ya no los tiene más. Le pregunté si había logrado todo y si se había hecho la Verdad y esta persona aseguró que ha logrado todo y que se ha hecho la Verdad.

Alternativa de la salvación del hombre

Si observamos a nuestros políticos podemos ver que vienen peleándose, pelea tras pelea desde hace mucho tiempo hasta el día de hoy. Me da gracia ver a los políticos cuyos propósitos no son de encontrar una alternativa justa unificando sus mentes para el bienestar del pueblo, para una buena calidad de vida y tranquila; sino que ejercen políticas que provocan preocupaciones e inseguridad, defendiendo con orgullo sus posturas, gritando y sintiéndose superior por su habilidad de labia.

En nuestra pequeña tierra, Corea, existen diversos partidos políticos regionales. Esto no es unión del pueblo ni armonía, sino que es división.

Incluso en estas circunstancias, no existe una alternativa que posibilite la unión ni toman acciones al respecto. Dentro de los sistemas que el hombre ha creado, el comunismo ha caído y aparentemente el capitalismo ha llegado a su clímax. Sería apropiado que todas las personas reconozcan sus errores y se arrepientan, que reconozcan sus culpas y resten la burbuja falsa que es uno mismo y vivan en el mundo luego de haberse hecho personas verdaderas.

La vida en el mundo sería más fácil si el hombre supiese y aceptase los principios del mundo, pero al querer acomodar el mundo de acuerdo a su mente, como esto no es posible, la vida le es difícil y complicada. En consecuencia, como la mente humana está al revés, la vida en el mundo se hace ardua.

Sólo cuando el hombre viva luego de haber recobrado su naturaleza humana, el origen, podrá vivir con la mente del origen, con la mente que se ha hecho uno con el mundo. De esta manera el hombre tendrá sabiduría y habrá una alternativa correcta para la vida del hombre. Aunque el hombre piense dentro de su mente que sus intenciones y pensamientos son correctos, pero como no hay nada que sea correcto en el hombre, no existe ni siquiera una alternativa apropiada.

Si uno mira siendo la postura del mundo, encontrar una alternativa será muy fácil. Si la humanidad desechara sus incorrectos juicios y conciencias individuales, que son sus preconceptos y hábitos, y cambiara su mente por la mente del mundo, la mente de todas las personas se unificaría y así todos los pensamientos y actos serían correctos. Es más, la alternativa correcta surgirá ya que la mente de todos serán uno.

Aunque se esté desperdiciando mucho tiempo educando a las personas, no existe una educación que permita al hombre vivir una vida correcta encontrando una mente genuinamente correcta, lo cual es fundamental. Por esto, al parecer, la vida de las personas se torna difícil. También, es aparente que no tienen sabiduría en sus conocimientos. Si uno posee una mente correcta, sus acciones serán correctas, vivirá correctamente con juicios correctos y se generará una alternativa correcta. También, aceptará alternativas correctas aunque no sean las ideas incorrectas de su propio partido político.

El hombre no sabe qué es correcto ni sabe qué es apropiado por poseer una mente centrada en sí mismo. Si uno desecha esto y se hace la mente del mundo, tendrá entonces, una mente correcta.

El Mundo Eterno

Uno debe encontrar el sitio en donde uno se haga la Verdad

y uno debe hacerse la Verdad

Y uno debería de nacer como Justo en el reino de la Justicia

Nosotros debemos reflexionar

Y ver qué es lo que debemos buscar y hacer

Aunque el tiempo pase, aunque el agua del río fluya

Aunque todas las existencias del mundo se hayan ido

La persona que da la bienvenida al mundo eterno

Será sabia y será afortunada

Mente humana

Veo que el agua del río que fluye se ha ido
Veo que se ha ido en silencio quién sabe a dónde
Aunque produzca estrépitos al chocar, no ha permanecido dentro
 del ruido
Aunque gire curva tras curva, no ha permanecido en la mente que
 toma curvas
Veo que simplemente ha fluido de un lugar alto a otro más bajo
Siendo esto el flujo de la naturaleza
El agua que se ha ido en silencio no posee conocimientos
Tampoco ha poseído en lo absoluto mente de esto y aquello
El hecho de que las innumerables existencias del mundo
Aparenten tener muchas historias
Es simplemente una manifestación de la mente humana
Veo que absolutamente todo, simplemente vive
Veo que solamente la mente humana posee innumerables juicios

El mundo fuera del correr del tiempo

Detente nube

Sopla viento

En vez de estar dentro del tiempo

Que transcurre con el tiempo

Viva fuera del tiempo sin el correr del tiempo

Hasta el agua del río que fluye se ha ido con el tiempo

Hasta el tiempo que corre se ha ido con el tiempo

Hasta las incontables cosas existentes e inexistentes

Se han ido también con el tiempo

Las incontables historias de vida se han ido con el tiempo

Veo que el tiempo es el demonio que devora

Absolutamente todo lo que vive dentro del tiempo

No sea devorado por el tiempo

Tampoco culpe al tiempo

Únicamente el mundo fuera del tiempo es el mundo completo

Veo que la vida sin sentido del hombre ha desvanecido

La mente de la naturaleza

El cielo es tan claro
Es tan azul que se percibe casi negro
Entre montañas, siguiendo por los valles
El agua del arrollo pedregoso es asombrosamente claro
Y en él, veo peces sin nombre jugando

La montaña es alta
Florecen aquí y allí flores sin nombre
Veo nuevas hojas brotando de ramas arbóreas
Hierbas silvestres emergen de las montañas
Y veo muchos brotes nuevos en un árbol de kiwi
Al recorrer un valle montañés
Encuentro tantos vegetales silvestres como los hay en una huerta
Camino recolectando hierbas silvestres
Sumergido en la naturaleza inexplorada por el hombre
Los rayos cálidos del sol, el aire puro y el agua cristalina
Purifican las impurezas del cuerpo contaminado por el mundo
Me siento increíblemente liviano
Todo mi cuerpo está realmente limpio al asemejarse a la naturale-
    za lindante
Gracias a que en mi juventud he escalado montañas
No siento el cansancio aunque merodee por esta y aquella monta-

ña

Al comer mi vianda empaquetada sobre una roca gigante junto al
  arroyo
Puedo ver una pequeña cascada
En la pendiente en donde el agua cae
Un pájaro sin nombre va y viene cotorreando algo que no entiendo

En esta naturaleza de montaña y arroyos primaverales
Hay demasiadas cosas que dan pena verlas sólo
Incluso el clima es templado
Desde la existencia de este lugar
Me intriga cuántas personas han caminado los lugares que he ca-
  minado
Al ser una montaña alta y valles de difícil acceso
Me ha entrado la duda de si alguien ha caminado por estos lugares

A medida que escalo más alto
Veo que las hojas de los árboles crecen menos
El ciervo montañés que ha venido al arroyo escapa asustado
Mirando constantemente hacia atrás
Veo que los animales y plantas de esta montaña
Viven como el hombre, de generación en generación
Sin una casa, sólo teniendo a su ser desnudo
Tolerando el viento si sopla, la lluvia si llueve
La nieve si nieva

Haga frío o calor
Viven en silencio

Todo lo que ha existido desaparece por completo
Viene y se va nuevamente
Pero únicamente yo soy consciente del principio del mundo
Que al sitio a donde todo retorna es el origen
Y el sitio de donde todo proviene es el origen
Pienso, qué inmaduro que es el hombre que vive
Peleándose, matándose y robándose
Para encontrar y poseer algo en este mundo sin sentido

Hágase la mente de la naturaleza
Y no echará culpas
No tendrá envidias ni presunciones
Ni lo correcto o incorrecto
Ni la mente de discernir esto o aquello
Cuando la mente humana haya desaparecido por completo
Será entonces la mente de la naturaleza

La mente anterior a la mente

Las incontables cosas que vienen y van en silencio

Veo que han venido de la Gran Naturaleza

Y terminan yéndose a la Gran Naturaleza

Así como el hombre vive de acuerdo a lo que tiene en su mente

La mente anterior a esa mente es la mente de la Gran Naturaleza

Aunque venga o vaya, la Gran Naturaleza existe en silencio

Aunque vaya o venga la Gran Naturaleza existe en silencio

Absolutamente todas las formas que van y vienen

Vienen y van, son incompletas

Sólo aquel que ha ido al origen de donde todo ha nacido

Sabrá de la providencia del ir y venir de las cosas

Aunque absolutamente todas las cosas de este mundo cambien

El mundo original que ha creado la naturaleza no cambiará

Únicamente esto es la Verdad, únicamente esto es real, la Verdad

Como el hombre no posee esta mente

Tampoco ha nacido en este reino de la mente

El hombre está muerto

Sin poder ser uno con el existente mundo verdadero

Como el hombre vive en un mundo mental propio

El hombre terminará muriendo eternamente encerrado dentro de
    su propia mente

El que se da cuenta de que uno mismo es el más vil e inservible

El que se odia a sí mismo, reúne los requisitos para hacerse la Verdad

Pero el que constantemente trata de ingerir y guarda

Estará lejos de la Verdad

El que uno mismo quiere iluminarse, el que quiere realizarse

Estará lejos del Do que es la Verdad

La Verdad es el espacio anterior a todas las creaciones

Como la Verdad es el espacio anterior a la forma humana y a su mente

Para que uno pueda hacerse la Verdad

El ego de su mente y cuerpo debe desaparecer

Sólo así podrá ir al reino de la Verdad

El resucitar y renacer en este reino de la Verdad

Deberá ser realizado por el dueño de este reino de la Verdad

Sólo aquel que se ignora completamente a sí mismo

Sin tratar de encontrar algo

Podrá nacer nuevamente y vivir en el reino de la Verdad

Si no nacemos y vivimos en el Cielo estando vivo, moriremos eternamente

Si mi mente no retorna al origen del universo

Y no renace en ese origen

La palabra eternidad no deberá ser utilizada ni podrá ser utilizada

La eternidad existe únicamente en este lugar

Y sólo aquí existe la vida eterna siendo dios inmortal

Es más, yo renazco como dios inmortal

Aquí es la Verdad y sólo aquel que ha resucitado, renacido como la
Verdad, vivirá

Adéntrese en la era de la Verdad

Siguiendo al tiempo que fluye

Veo que el mundo, los ríos y montañas cambian y yo también

El mundo ha existido antes de que apareciera la vida efímera del
hombre

Ha existido también el mundo original que ha creado el mundo

El mundo original ha simplemente existido

Veo que aunque existan hombres o no

El mundo original simplemente existe sin variaciones

Veo que ha existido antes del comienzo y también existe luego de
una eternidad

Pero como el hombre vive dentro del tiempo, termina yéndose con
el tiempo

Incontables personas describieron la vida fugaz del hombre desde
tiempos remotos

La vida del hombre es como una nube pasajera

La vida del hombre es como una lenteja de agua que flota

Y aunque hayan dicho también que la vida del hombre es inexistente y que no existe

No ha habido nadie que entendiera su significado

Al adentrarme en la era en la que se realiza la Verdad

Al saber de la Verdad y al hacerme la Verdad

Pude ver que la vida del hombre y el hombre

Certeramente vive una vida sin sentido que termina muriendo en este mundo

Sin duda las palabras de aquellos de antaño no estaban equivocados

El hombre no puede ser uno con el mundo y graba el mundo dentro de su mente

Y vive como una ilusión dentro de ese mundo

Veo que esto era la foto

Dentro de la vida del hombre sin sentido y sin propósito, incontables personas

Se esfuerzan y hasta arriesgan sus vidas para el bien de uno mismo

Pero esto es su propia mente

Ya dejar de vivir dentro de la ilusión, para todos y para siempre

Y vivir en el mundo de la Verdad

Es posible cuando uno se haga la mente de la Verdad

Pero no es posible saberlo

Ya que no hay nadie que sepa de la Verdad, ni nadie que se haya hecho la Verdad

Pero ha llegado la era de adentrarse en la era

Adentrarse en la era significa que la era de realizarse como la Verdad, es ahora mismo

Mundo de falsos sueños

Desde tiempos remotos hasta ahora

Dentro del tiempo que se ha ido en silencio

Es imposible saber cuánta gente ha vivido

Pero en la aldea que está del otro lado del río donde han florecido
   duraznero

Diviso dos casas tejadas entre techos de paja

Los chicos y señoras sin mucho para hacer

Salen de sus viviendas a mirar forasteros

Al seguir por el camino veo que hay pueblos aquí y allí

Al encontrar una pobre tienda en un rincón del pueblo, entro

Veo un jarrón de alcohol con un cucharón de zapallo flotando

En el campo, un joven con ropa tradicional está haciendo surcos
   en un campo de cebada

Veo que la cebada ha crecido tan verde y saludable

Que los surcos del suelo no pueden verse

En el cielo canta una alondra

Las personas solitarias que trabajan en el campo

Trabajan sin preocupaciones como si fuesen su vocación

Los callejones de chozas que con sus tapias demarcan cada casa

Son callejones que veo por primera vez pero me resulta familiar

Al seguir por el camino aparece un arroyo con una pasadera de
   piedras

Al cruzar cuidadosamente veo que el agua deshelada por la energía primaveral

Tiene un brillo mate pero es clara

Veo pasar un cardumen de carpas y una rana flotando

La pastura lindante crece enérgico

Los cálidos rayos del sol levantan brumas

Estoy sentado pero sin ganas de seguir caminando

En cada casa veneran hasta sus quintos antepasados

Siendo ellos, los descendientes, la única prueba de que sus antepasados han vivido

¿A dónde se ha ido el ruido de galope de aquellos tiempos?

¿A dónde se ha ido aquel general glorioso?

Como esta es una zona de saqueos y saqueados en la era de las Tres Naciones

Han rozado mi cabeza pensamientos de acontecimientos ancestrales

Siempre quise ir al otro lado de esa montaña

Pero no es un camino fácil para ir a pie

El aroma de pinos se siente fuerte sobre el camino que cruza esta montaña

Al seguir el camino, aunque sea de día, se me erizan los pelos

Por ser esta montaña habitada por tigres en la antigüedad

Tomo curva tras curva por el camino respirando con dificultad

Luego de subir por un tiempo considerable, aparece la cima de la montaña

Por un instante trepo una roca grande que permite una visión panorámica y miro hacia abajo

Puedo ver a lo lejos un pueblo

Seguramente muchos habrán cruzado esta montaña

Cuando todos la cruzaban inmersos en sus propios asuntos

¿Cuales habrán sido sus pensamientos?

Bajo la montaña distraído y al detenerme

Veo un hilo de agua que cae desde lo alto de la montaña

Y su caída en forma de cascada es una belleza magnífica

Escucho el agua que baja de los vallecitos y puedo saber que su torrente es fuerte

Incluso en esta montaña profunda habían cabañas en tiempos remotos pero ahora queda sólo una

Tal vez el dueño ha partido o ha muerto aquí

Pero esta cabaña solitaria permanece en silencio

Después de bajar por un tiempo, empiezo a ver una casa o dos

Y luego aparece un pueblito

Los descendientes que viven en estas montañas

Han sido empujados por las guerras de la era Shinla

No pueden ser más pobres que sus casas de barro en un estado de-
crépito

Bajo siguiendo el vallecito curva tras curva

Y a medida que bajo, el vallecito se va ensanchando

Al cruzar una aldea veo jóvenes vestidos con ropa tradicional

Fumando tabaco en pipas de bambú

Y merodeando frente a un negocio, parados, sin prisa

Un perro aldeano me persigue ladrando por serle extraño

Estuve caminando sin destino

Al llegar a una zona urbana, donde muchos habitan
Veo que todos viven con apuros
El que tiene un trabajo, vive enterrado en ese trabajo
El que no tiene trabajo, descansa pero está preocupado del comer y
    vivir
Supe al madurar
Que todas las personas y el mundo que pasaron frente a mi
Fue un mundo falso de sueños
Me doy cuenta de que era un mundo fantasma
Y que las personas eran los fantasmas
Aunque hayan quedado hermosos recuerdos dentro de mi mente
Veo que son simplemente fotos
Incluso me di cuenta de que vivía dentro de esa ilusión
Cuando salí al mundo
El hecho de que haya vivido dentro de mi mente
Que está superpuesta con el mundo
Fue realmente tonto de mi parte
Me doy cuenta de que fue un sueño falso

La vida inútil del hombre

Debido a la mente de carencia

Querer llenar esta carencia es la mente humana

Querer llenar esta carencia, es su propia naturaleza

Aunque la persona con carencia

Intente llenarse y llenarse

No hay un fin a esto y justamente esto es el sufrimiento y la carga
    de uno

El mundo cambia junto al tiempo que vuela

Y como las miles de cosas que suceden junto al tiempo

Quedan guardadas en mi mente

Uno no se da cuenta de que éstas son una ilusión

Y que éstas se han hecho la identidad de uno mismo

Y uno deambula enloquecido

Por esto la vida del hombre es inútil

Es una vida ilusoria inexistente

Poema de una Juventud que se ha ido

Junto al tiempo que ha pasado en silencio

Mi juventud se ha ido en silencio hacia algún lado que desconozco

Ahora que las partes de mi cuerpo son diferentes a las de mi juventud

Me doy cuenta de que en la vida que correteaba

Siempre en apuros sin sentido alguno

He acumulado solamente vacíos infinitos

Veo que todos mis logos y deseos de logros no tienen ningún sentido

Veo que todo es vacío

Era una vida en tiempos en el que no existía la era de la completud humana

Veo que eran tiempos de sueño

Y han habido también penas y resentimientos

Al despertar del sueño me alivia profundamente

Que no se me hayan realizado las cosas que quise poseer, lograr y hacer

Me doy cuenta de que he deambulado dentro de un mundo de sueños

Sin poder despertar del sueño

Veo que he vivido de acá para allá sin descanso

De acuerdo al guión de mi sueño

Mi único lamento por el tiempo que fluye

Es por no haber salido antes de ese sueño

Y no haber trabajado en el mundo despierto, que es lo que me apena y pesa

Pude saber cuando desperté del sueño

Que todo lo que está dentro del sueño es falso y es una mentira

El principio del mundo y la Verdad es que todos los materiales existentes

Terminan desapareciendo junto al tiempo

Lo supe cuando desperté del sueño

Los lamentos y deseos que tuve también estuvieron dentro del sueño

He tenido inusualmente muchos lamentos y deseos dentro de ese sueño

Pero fue la suerte de las suertes

De que esos lamentos y deseos no se me hayan cumplido

Tal vez esto facilitó mi despertar

¿Existe alguien superior?

¿Existe alguien inferior?

La distinción entre alguien superior e inferior existe dentro del sueño

Pero veo que fuera del sueño todos viven libres siendo uno

Estoy satisfecho de mi juventud que se ha ido

Sin culpar al escaso tiempo que me queda, sólo haré mi trabajo

Hasta que desvista este cuerpo en silencio

Aquí y en esta tierra, en el reino del Alma y Espíritu donde he
trabajado

Luego de que mi reino haya prosperado y muchas personas se hayan salvado

Estaré esperando a aquellos que vivirán eternamente conmigo

Senderismo de invierno

La nieve ha cubierto las montañas y arroyos

Sin embargo aquellos senderistas que disfrutan del paisaje invernal

Escalan trechos que rompen rodillas

Sin poder distinguir el sendero, sigo las huellas de aquellos que
han escalado antes

Al subir y subir

Todo mi cuerpo transpira y el sudor empieza a correr por mi frente

Luego de la nevada, vientos fríos soplan fuerte y levantan polvos
de nieve

La nieve apilada en las ramas de los arboles forman hermosos copos

Luego de dar curvas y curvas

Por varias horas de respiración fatigosa, exhalando vapor

Mi cuerpo entero se ha empapado de sudor y el aire fresco ha en-
friado mi ropa interior

Desde la cercanía miro la cima y no veo árboles grandes allí

Sólo veo un paisaje magnífico de árboles bajos con copos de nieve
sobre sus ramas marchitas

Al llegar a la cima, luego de escalar con mucho esfuerzo por estar
cerca

Veo que muchos disfrutan de la felicidad de estar en la cima gritando fuerte para escuchar ecos

Veo que todos están relajados

Aquí, donde hace más de 10 grados bajo cero

Las personas conversan en grupos aquí y allí

Disfruto de una sensación que solamente lo siente el que ha llegado a la cima

Siento que no habrá nadie que conozca la sensación de este instante

Como hace demasiado frío, hay gente que calma el frío insoportable con copas de Soju

Un grupo de estudiantes, escalando la montaña

Han bebido tragos de alcohol para mitigar sus cansancios y al llegar a la cima

Hay una persona que no puede ni caminar por tener sus retinas dilatadas

Como los estudiantes no pueden cargarlo

Yo y varias personas nos turnamos para cargarlo en la espalda

Y bajamos la montaña resbaladiza y peligrosa

Encargo la persona a los estudiantes en un templo budista al pie de la montaña

Y les digo que le den agua azucarada

Al querer partir silenciosamente, los estudiantes me ofrecen un poco de Soju

Les dije que no se preocuparan por mí y he partido en silencio

Esta es una montaña grande, y aunque tome curva tras curva, sigo viendo vallecitos

Esta sensación en todo el cuerpo lo sabrá solamente la persona que la ha escalado

En los vallecitos de cada montaña

Hay aldeanos y algunas viviendas esparcidas

Las cuales son viejas y no pueden ser más precarias

Las personas que poseen pequeñas huertas arroceras

Incluso en tiempos fríos visten ropas desgastadas y rotas

Tal vez sea porque no les sobra nada para comer y vivir

Se los ve sin libertad

Por debajo del hielo corre el agua

Y luego de bajar por varias horas se aprecia un estacionamiento

Entro a una taberna y pido un tazón de Makgoli

Y para acompañar, broquetas de pasta de pescado hervido con
    sopa

No habrá nadie que sepa saborear esa exquisitez

Aunque haya tomado más de lo usual no me emborracho

Sólo me pongo contento

Tal vez sea porque mi cuerpo se siente bien

Con una borrachera placentera he vuelto a casa

Veo nevar y veo los copos de nieve en las ramas de Nueva York

Esos tiempos que escalaba esta y aquella montaña libremente

Se me han convertido en anhelos

Dudo que pueda andar por esta y aquella montaña nuevamente

Por mi vejez, y por no tener tiempo

Al pensar que no tendré tiempo

Anhelo aún más

Aunque la Verdad venga o se vaya, el hombre no podrá saberlo

Veo una nube quieta

Aunque en el cielo vacío, incontables nubes hayan ido y venido

Veo que ninguna deja huellas

Aunque les muestre a las personas el origen de la Verdad

Veo que el hombre no lo puede ver

El hombre no puede verlo porque no tiene la Verdad dentro de su
mente

Dentro del tiempo que se ha ido

Quedan incontables rastros de incontables personas

Que sin saber su significado ni su propósito

Han tratado de lograr el Do

No entienden que el Do es desecharse a sí mismo por completo

Para que quede solamente la Verdad

Y es renacer en el reino de la Verdad

Tal vez sea porque uno mismo haya querido lograrlo y de encontrarlo

Que no ha habido un hombre completo

Si es que realmente alguien lo ha logrado

Entonces debe de haber un método que posibilite lograrlo

Incontables personas habrán quemado sus preciadas juventudes

Pero solamente habrán suspirado penas

Y también se habrán enfermado y muerto dentro de aquel tiempo
   perdido
Veo que el tiempo se ha llevado esas penas y la vida de muchas
   personas
Nadie sabe dónde han ido aquellas personas
Que han muerto sin poder lograr sus propósitos
Sólo el tiempo pasa y en días venideros muchos dibujarán una
   imagen ilusoria
Y cada quien tendrá sus propios pensamientos

Un héroe en tiempos pasados es el que ha matado a muchas perso-
   nas
Un santo es aquel que ha hablado sobre la Verdad
Y también ha predicho que la Verdad vendrá como hombre
La Verdad debe venir como hombre para permitir al hombre ha-
   cerse la Verdad
Y el hombre completo debe venir para que el hombre pueda com-
   pletarse
Las sagradas escrituras hablaron de que algún día llegará ese mo-
   mento
Aunque ese momento, esa época llegue
Nadie podrá saberlo
Ya que no existe la Verdad dentro de la mente humana

Como únicamente existe dentro de la mente humana
Fotos de conceptos y hábitos que uno ha tomado

Uno no puede entender el significado de la Verdad

Por estar atado a sus conceptos y hábitos egocéntricos

Por más que el Salvador venga o se vaya

El hombre no podrá saberlo

Sólo la persona que se haya hecho la Verdad lo sabrá

Vayamos al mundo vivo

Veo que el mundo está vivo pero el hombre no logra vivir

El mundo simplemente existe tal como es

Pero veo que el hombre tiene constantes aflicciones y sueña sueños
irreales

Como el hombre no es la Verdad, no sabe que todo es una mentira
sin propósitos

Veo que termina muriendo luego de una vida de tormentos y aflicciones

Ni siquiera entiende el verdadero significado de la vida eterna

¿No es un principio obvio que uno termine muriéndose si no se
hace la Verdad?

El hombre cree que alguien lo salvará aunque no se haga la Verdad

Pero esto es un error

Así que reflexione y esfuércese para hacerse la Verdad

Hacerse la Verdad es de suma importancia

¿Qué es real y qué es falso?

Este mundo es real y el hombre es falso

No es lógico pensar que uno puede vivir eternamente

Si su mente no se hace el mundo eterno mismo y no nace allí

No trate de encontrar ni de lograr algo

Puesto que la Verdad aparece únicamente cuando uno se desecha a
sí mismo

Que es el falso

¿No es el deber del hombre nacer en el reino de la Verdad

A voluntad del dueño de la Verdad?

Si uno no logra esto, no tendría razón ni propósito de vivir

¿No es así?

En vez de vivir una vida humana de setenta a ochenta años

La persona que viva el tiempo que vive el mundo, que es eterno

Será una persona sabia y será una persona con sabiduría

La persona que trate de poseer más, pecará más

Pero la persona que se desecha y se elimina hasta su propio ser

Es la que absuelve sus pecados

Es la que puede nacer en el reino de la Verdad

La persona cuya mente se ha hecho la Verdad

Como existirá el Cielo dentro de su mente

Todo este mundo estará ya vivo

Y hasta uno mismo habrá ya nacido dentro de su mente

Cuando ya no tengo mi mente humana y la mente de Dios existe
   dentro mío

Ya no tomo fotos y el dueño del Alma y Espíritu existe dentro mío

Mi Alma y Espíritu de la Verdad debe haber nacido

En ese reino del cimiento original para ser inmortal con vida eterna

La persona que no va al Cielo estando vivo

Y dice que irá al Cielo luego de la muerte

No podrá ir al Cielo y terminará muriendo eternamente

La razón por la cual no hay hombre que vea la Verdad

Cuando el día es claro

El cielo se ve claro y despejado

Cuando la mente es clara y limpia

El Cielo se ve claro y despejado

Absolutamente todo es uno, la Verdad

Pero la razón por la cual no hay nadie en el mundo que pueda ver esa Verdad

Es porque el hombre no ha nacido ni vive en el mundo

Es porque vive dentro de su propio mundo de fotos

Esto es su propio mundo mental

Es un mundo ilusorio

Es un mundo de excremento

Es el mundo del fantasma

No es el mundo real sino que es un mundo de fotos

Absolutamente todas las creaciones están encerradas dentro de la mente de uno

Por esto todas las personas están muertas

Para nacer en el mundo, que es la Verdad

Hay que eliminar el mundo de fotos, que es el mundo mental de uno

Y nacer en el mundo

Aunque les diga que el sitio en donde uno se
haga la Verdad será el verdadero
No escuchan

El tiempo pasa y envejezco también

¿Será el tiempo sin palabras, el demonio que devora todo lo que
existe en este mundo?

Al vivir una vida sin saber su significado ni su propósito, sin saber
hacia donde ir

Veo que no hay nadie que no sea sucumbido por el demonio del
tiempo

Por no poder renunciar a la vida humana y desear vivir un poco
más

Veo que termina partiendo de este mundo, de la vida del hombre

Dejando resentimientos, testamentos y lágrimas

El hombre no sabe a dónde se han ido los que han muerto

Desconoce el mundo más allá porque no ha muerto

Uno debe experimentar la muerte para saber del mundo más allá

El mundo más allá que ha ido el hombre

Es un mundo ilusorio que no existe en el reino de la Verdad

Veo que han desaparecido luego de vivir la vida del hombre

Veo que han muerto eternamente

Han muerto porque su Alma y Espíritu no han nacido en el reino
de la Verdad

Las personas de antaño culpaban a la vida de ser efímera y de no tener propósitos

¿Será porque la vida del hombre desaparece después de una vida?

¿O será porque no existían en el mundo?

Debería preguntarles a los que se han quejado para saber a qué se referían

Pero esas personas ya han muerto y ya no hay manera de saberlo

Veo que la vida del hombre es lo que termina desapareciendo

Como un sueño, como una nube y como el humo

Dejando atrás incontables resentimientos de historias inconfesables

El hombre vive pensando que vivirá eternamente

Viviendo sólo para sí, construyendo y construyendo su propio castillo

Pero no ha logrado nada, nada que perdure

Su vida es como una nube flotante

Pero por la inmadurez humana, no hay nadie que sepa de esto

Y veo que vive atado fuertemente a su propia cadena

Todas las cosas que van y vienen, aparecen y desaparecen

Aunque todos vivan una vida del hombre y desaparezcan

Sin saber el lugar de procedencia ni su destino

El verdadero afecto y compasión del cielo

Es que ha llegado el momento, este tiempo grato, así como fue prometido

De salvar al pobre humano y las existencias del mundo sin abandonarlos

Pero el hombre, atado a su propia cadena, no sabe en qué momento está

El hombre con carencias, dentro de su propia carga

No sabe del mundo, de su auténtico propósito, ni de sus obras

En vez de vivir una vida efímera del hombre sin sentido

No escucho el grito: ¡vivamos la vida del mundo!

Aunque uno rebusque dentro de su carga,

Lo único que encuentra es basura inservible

En ese sitio, poseyendo esa mente

Lo único que uno hace es emitir ruidos de loco, de fantasmas y
ruidos delusorios

Incluso balbucea palabras sobre el reino de la Verdad

Habiéndolas robado de las escrituras

Pero el que consume, en consecuencia consume solamente falsedad

Y aunque les diga que el sitio en donde uno se haga la Verdad será
el verdadero

El hombre no entiende y veo que solamente consume basuras in-
servibles

Si el sitio al que uno asiste es verdadero ¿no debería ya haberse hecho la Verdad?

¿No será únicamente el sitio verdadero en donde uno se haga la
Verdad?

Si tiene oídos, entonces escuche y aplauda a las palabras correctas

Uno debe encontrar el sitio en donde uno se haga la Verdad y uno
debe hacerse la Verdad

Y uno debería de nacer como Justo en el reino de la Justicia

Nosotros debemos reflexionar

Y ver qué es lo que debemos buscar y hacer

Aunque el tiempo pase, aunque el agua del río fluya

Aunque todas las existencias del mundo se hayan ido

La persona que da la bienvenida al mundo eterno

Será sabia y será afortunada

Hogar original

¿Usted conoce su hogar original?

El hogar en el que el hombre ha nacido no su el hogar

Sino que el cimiento original que es el origen y la fuente, es su hogar

En el hogar no existen trabas ni atascos, sino que hay gran libertad

Aquellos que partieron a tierras foráneas y no desean retornar a causa de sus pecados

Es porque viven poseyendo demasiadas ilusiones en tierras foráneas

Veo que ellos han olvidado el hogar

Ni anhelan en lo más mínimo su hogar

A los padres del hogar, seguramente les dolerá el alma cuando piensen

Sobre los hijos que con dificultad deambulan en tierras extranjeras

Los padres del hogar dicen que en vez de sufrir en el extranjero

Vuelvan al hogar, que les darán el mundo entero del hogar

Que les concederán el perdón de todos sus pecados

Para que vivan con un cuerpo y una mente limpia

Pero sus hijos viven solamente dentro del pecado

Pensando que es divertido vivir dentro del pecado

Pero como no se dan cuenta que están dentro del pecado

Es realmente frustrante y desesperante

No desaparezcas muriendo en el extranjero sin dejar rastros

Vuelve al hogar y líbrate de los pecados del extranjero

Sé una persona nueva, sé eterno e inmortal

Y vivamos eternamente en el hogar sirviendo a los padres

En el hogar no existen preocupaciones, angustias ni estrés

Deseos, enojos ni ignorancia

No existen los cinco deseos (material, honor, sexo, gula y sueño)

Ni los siete sentimientos del hombre (alegría, enojo, tristeza, amor, deseo, placer y odio)

No existe en lo absoluto, los tormentos del hombre

Es el estado en el que se ha librado de los preconceptos y hábitos del hombre

Por lo tanto es libertad y es liberación

Es el estado que ha superado absolutamente todas las cosas de la vida del hombre

Vivamos eternamente en este hogar en paz y en libertad

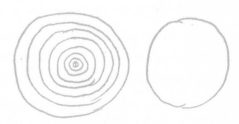

Mi voluntad

La noche es profunda

No puedo saber que pájaro es

Pero canta triste sobre un árbol

Cuando estudiaba hace mucho tiempo

Masticando la soledad internado en un templo montañés

Se escuchaba el ulular de una lechuza trasnochera

Junto al silbido trasnochero de un arroyo

Esas épocas de soledad, esas épocas de melancolía

Se han transformado en nostalgia

Ha habido un tiempo en el que tuve incontables pensamientos

Así como una sopa hirviendo dentro de mi mente

En el que era perseguido por las circunstancias de me rodeaban

Sin haber podido lograr nada

Ahora que miro atrás el pasado, me satisface el alivio que me
    inunda

De que no se me hayan realizado mis ideales

Los cuales eran por cierto ideales enormes

Al no poder realizarme como una gran persona

He vivido maldiciéndome, diciéndome que era una persona equi-
    vocada

He vivido con disgusto de mí mismo, me odiaba

Me mofaba y me ignoraba

Tal vez esta es la razón por la cual no tuve mucho para arrepentir-
me
Como no tuve la sensación de superioridad
Mi mente siempre ha sido humilde
Por ser humilde, he vivido trabajando duro
El resultado de esto, al contrario de mi infancia escasa
Es que viví bien
Dentro del tiempo que se ha ido en silencio
Cuando comenzaba a enseñar la Verdad en la montaña Gaya
Todas las noches ululaba una lechuza que hacía resonar mi cora-
zón solitario

Todos aquellos que vinieron en busca de mí
Vinieron con cincuenta mil pensamientos diferentes
A medida que fueron limpiando esas cincuenta mil aflicciones
Según lo que han consumido en sus mentes
Empezaron a expresar la identidad de sus mentes en cincuenta mil
maneras diferentes
Ahí fue el momento en el que me di cuenta
De que el hombre era más feo, más sucio y más vil que yo
El hecho de que me haya regañado a mí mismo
Diciéndome que era la peor persona del mundo
Que era sucio y una fea persona
Ha sido para mí un arrepentimiento sin siquiera saberlo

Con el título de Do-in

Despierto a las personas

No puedo describir con palabras la alegría que sentí

Cuando las incontables personas que

Dentro de sus cincuenta mil aflicciones reían y lloraban

Lograron el despertar luego de trasnoches en mi compañía

Me alegraba más la iluminación de las personas que en la mía

Y cada vez que la conciencia del hombre cambiaba de falso a verdadero

Mi alegría era infinita

Incluso yo, luego de nacer en este mundo

En aquellos tiempos en el cual estaba atrapado dentro de la tumba

Sentí felicidad cuando salí al mundo

Además, como era la primera vez que las personas lograban la iluminación

Siendo el fundador, el hecho de que las personas lo estaban logrando

Era para mí muy conmovedor

A medida que iban subiendo de nivel

El número de esas cincuenta mil aflicciones reducían

Pero dentro de un molde que es el ego, el cual el hombre se aferra hasta el fin

Uno mismo que es falso, sin poder ignorarse a sí mismo

Muchos han intentado lograr la Verdad y el despertar

Por lo tanto no pudieron seguir avanzando de nivel

Y no pudieron lograr la Verdad

Pero aquellas personas con las características de un oso

No se rindieron, no cambiaron y meditaron con agradecimiento

Todavía están meditando y al parecer ya se han completado

Silenciosamente el tiempo ha pasado

Veinte, treinta años

Yo, que he comenzado a mediados de los cuarenta

Ahora mi cabello se ha tornado gris

Mi vigor y mi juventud han desaparecido

Y soy ahora un viejo que adentra la vejez

Veo que me he convertido en un abuelo con canas y sin dientes

Mi cuerpo no se mueve como me place como lo hacía en mi juventud

El mundo es amplio y vivo una vida del hombre

Con una expectativa de vida de unos setenta a ochenta años

Me queda mucho por hacer en este mundo

Sin importar si es día o noche

Dedico todo mi tiempo en enseñar a las personas la Verdad

Con la idea de que tengo que despertar a todas las personas

De todos los rincones del planeta

Mi corazón está con prisa

Espero y espero el día

En el que todas las personas logren la completud

Y que todos puedan vivir

Es mi esperanza antes de morirme

Que la Verdad se expanda por vez primera en todo el mundo

Y que todos renazcan como la Verdad

Me apena las personas que viven sin propósito ni sentido

Y que luego terminan muriendo
Me entristece profundamente
Mi voluntad es trabajar duro
Para que por lo menos pueda vivir una persona más

El alcohol que he tomado en aquel mundo anterior

En una taberna sin numeración, el cielo es despejado sin nube al-
   guna
Es un día cálido de primavera
Al costado de un camino alejado del pueblo
Se divisa una casa apartada
La gente que viene y va del mercado
Y la gente del pueblo, paran para tomar una copa
Veo una vieja cantinera que se ha ganado la vida aquí desde hace
   mucho tiempo
Tedioso de caminar, visito la taberna y pido una pava de makgoli
Me sirvo y tomo copa tras copa acompañándolas con kimchi
Veo gente que vienen de sus trabajos y se sirven en tazones gigan-
   tes
Y acompañándola con sal, toman todo de un trago y vuelven con
   prisa a sus trabajos
Fluye un arroyo enfrente, cuya agua es cristalina
Las jóvenes y señoras que han venido a lavar sus ropas
Discretamente me echan una mirada breve
Dejan sus ropas sucias sobre una pasadera de piedras
Y golpean sus ropas con un bate de lavandería
Al beber una copa, dos copas, tres copas, cuatro copas
Cinco copas, seis copas, la pava se ha vaciado

Veo en el patio una gallina que anda cacareando con sus pollitos amarillos

Al ver que este pueblo es bastante grande

Pienso que mucha gente habrá venido a esta taberna

Con sus historias y relatos de esto y aquello

Seguramente habrán habido personas que han reído y llorado con resentimientos

Habrán habido también personas que han tomado por estar contentos

Y también habrán habido personas decididas a suicidarse que al tomar alcohol

Sus penas se han disuelto y no se han muerto

Esta es una taberna vieja y decadente, pero atraído por una simpatía misteriosa

He pedido otra pava de alcohol y me hallo tomando

La cantinera, por lo menos se ha peinado con aceite y luce una cabellera brillante

Y está bien vestida

La vieja cantinera me pregunta

¿Joven, dónde vive y qué hace?

Le contesto en donde vivo y el motivo de pasar por esta taberna

Ella asiente con la cabeza

Al vaciarse dos pavas de alcohol

Pago la cuenta y sobre el camino en el que me alejo de la cantina

Se levanta vagamente una bruma

Puedo escuchar el sonido del arroyo que bordea el camino

Verdes pasturas brotan vigorosamente

Y veo peces que nadan en el agua

Camino en silencio y sin darme cuenta

Voy cantando una canción

Al cantar entonado por el alcohol, sólo yo, me hayo contento

Hay un campesino que me mira pausando su trabajo

Llego al destino cuando el efecto del alcohol ya desvanecía

Me encuentro con un amigo, vamos a una taberna

Y me hayo tomando otra vez

El alcohol que cae desde la pava produce estrépitos al llenar la
copa

Puedo sentir la ebriedad en todo mi cuerpo, mi lengua se afloja

Y las quejas que están dentro mío explotan hacia afuera

Sin una razón en particular maldigo al mundo y maldigo a la gente

Me encuentro maldiciendo al mundo que no es acorde a los objetivos de mi amigo y a los míos

La noche es profunda y se hizo de madrugada

Nos encaminamos hacia la casa de mi amigo para dormir

Tal vez sea por la borrachera de todo el alcohol que hemos tomado
desde la tarde

Que camino casi colgado de mi amigo

Me acuesto en la habitación de mi amigo y sin darme cuenta me
quedo dormido

A este amigo le gusta tanto el alcohol como a mí

Al día siguiente vamos a calmar la resaca con otro trago

Vamos de bar en bar, tomamos y tomamos

Sin ningún propósito ni razón diciéndonos ¡sirve! y ¡bebe! ha pasado otro día

Al día siguiente dejo la casa de mi amigo y he retomado mi rumbo

No he podido lograr en los días de mi juventud

Los objetivos que deseaba lograr

He desperdiciado mucho tiempo tomando alcohol

No estaba conforme con los asuntos del mundo

¿Por qué vive el hombre? ¿Quiénes van al Infierno y quiénes van al Cielo?

Estas preguntas batallaban constantemente dentro mío

Y aparentemente era consciente de la futilidad de la vida

Mi vida ha pasado de esta y aquella manera

Y cuando mi edad se acerca ya a los sesenta

Vuelvo a pasar por el mismo camino en coche

Veo que esa taberna ha desaparecido, hasta la vieja cantinera ha fallecido

Voy a la casa de mi amigo y me recibe su hijo

Me informa que su padre se ha enfermado y fallecido

He vivido muy ocupado

Y aunque escuchaba de tanto en tanto las noticias de este amigo

Extraño a mi amigo que se ha ido, al que le tenía afectos

Él ya ha desaparecido

El que solía sonreírme

Siempre que le hablaba sobre cosas que me fastidiaban

Todas las personas que he conocido en el pasado

Se han dispersado y se han ido al otro mundo

Tal como solía oír

La vida del hombre es realmente un sueño

Con el correr del tiempo

Veo que las montañas y arroyos que he visto en su momento

Han cambiado totalmente al verlos nuevamente

Ahora que he salido al mundo verdadero

Luego de vivir en el mundo humano

Me doy cuenta de que he hablado con personas inexistentes

Y he compartido afectos con personas inexistentes

El mundo en el que vivía llorando y riendo

Era un mundo de sueños

Era un mundo fútil

Un mundo ilusorio

Un mundo inexistente e inexistente

Me doy cuenta de que he vivido en el mundo dentro de una ilusión

El cual he construido tomando fotos del mundo

Ahora que vivo en el mundo existente

Esas memorias del pasado ya no existen más

Y el sitio en el que estoy, veo que es el Cielo y el Paraíso

Ahora que poseo la mente del mundo

Ya no tomo fotos del mundo

Ni de sus asuntos

Y es libertad y liberación

Yo, que me quejaba del mundo

Ahora que lo pienso

Me siento agradecido de que mis propósitos

E ideales no se me hayan realizado

Estoy agradecido de no haberlos logrado

Yo, que maldecía al mundo

A mi ser que maldecía

Lo he destruido y destruido

Lo he matado y matado dentro de mi mente

Lo he matado incontables veces y he matado una y otra vez hasta
  eliminarlo

Ahora, al ser uno con la mente del mundo

Puedo ver que fue mi alucinación la que me ha disturbado

Fue mi ilusión la que me ha perseguido

Mi codicia, que es mi conciencia de inferioridad, fue lo que me ha
  dado tormentos

Hasta el tiempo que se ha ido en silencio ha desaparecido

Hasta las memorias del pasado eran el infierno

Ahora que vivo siendo la mente del mundo

Estoy infinitamente cómodo

El enemigo no era otra persona sino que era yo mismo

He destruido completamente mi mundo mental

En el que he dibujado a mi ser, que es mi enemigo

Y he logrado vencerme a mí mismo

Al renacer nuevamente siendo la mente del mundo

Me doy cuenta de que puedo vivir tanto como vive el mundo

Recuerdo de antaño

Es difícil discernir lo que hay adelante por esta fuerte tormenta de
   nieve
Incluso aquí, en Nueva York, en esta era de la buena vida
Viviendo aquí en este lugar, extraño mis recuerdos del pasado
Recuerdo hasta las épocas que nuestros ancestros
Dominaban los campos de Manchuria
Todos se habrán movido de acuerdo a sus vidas, a sus pensamien-
   tos
Todos se habrán movido de acuerdo a sus deseos

Primavera en Nueva York

Veo que han brotado innumerables flores primaverales
En efecto, no existe en el mundo
Un paisaje más bonito que éste
En cada casa, en cada calle
En los árboles y en las macetas, las flores que brotan
Son muy pero muy hermosas
Veo que aquí es el hermoso Cielo
El Cielo mismo

Muchos inmigrantes procedentes de Europa vivieron aquí, Nueva
    York
Ya no quedan rastros de los indígenas de aquellos años
Sólo se observan occidentales y mucha gente de África
Veo menor cantidad de orientales
Entre el gentío que se ha reunido aquí de distintas partes del
    mundo
Las primeras generaciones de inmigrantes, extrañarán su país natal
Habrá sido lo mismo para los europeos de antaño
Hasta sus patrias, que han ido olvidando junto al tiempo
Ya que sus segundas generaciones nacieron aquí
Sus hogares existen solamente dentro de sus mentes
Aunque uno vuelva, ese hogar del pasado ya no existirá

Atesorando en sus corazones los recuerdos del pasado

Veo que han trabajado y trabajado para sobrevivir en territorio ajeno

Al ver las casas alineadas con más de cien años

Me hacen pensar que en aquellas épocas se vivía bien en los Estados Unidos

En este sitio, en el medio del ir y venir de personas

El asentado vive ya asentado

Pero yo, siendo oriental

Se me hace difícil entender cuáles son sus propósitos de vida

Y cuáles son sus diversiones en la vida

Estas personas viven de acuerdo a sus formalidades

Habiéndose adaptado a este lugar y viven con prisa

Este país que tiene una sociedad capitalista y es a su vez líder del capital

Ha controlado el mundo por unos cien años

Pero aparentemente el capitalismo está sufriendo ahora

Aumentan los desempleados y la gentileza de las personas ya no es como antes

Para el desempleado, la sobrevivencia será ardua

Aunque visite distintos rincones del mundo

Veo que todos se esfuerzan por comer y vivir cada día mejor

Si uno no tiene dinero

Aparentemente no existe en el mundo un lugar que se pueda vivir sin preocupaciones

No hay en el mundo algún lugar o tierra que me interese vivir

El comunismo ha caído

Al parecer el capitalismo ha llegado a su clímax

Y ha llegado la era de la civilización espiritual

En la cual la mente de todos se unifica y todos viven tranquilo

Llegará el mundo en donde se vivirá con tranquilidad mental

Vendrá el mundo en el que dará alegría vivir, donde todos vivirán
trabajando diligentemente

Cuando el hombre deseche sus deseos y viva de acuerdo a sus ca-
pacidades

El hombre podrá vivir mejor

El mundo en el cual todos son una mente

Y todos viven para los demás, será realmente el Cielo en la tierra

Es más, el Cielo será este mundo

Y el que ha nacido en este mundo verdadero, este mundo será el
Cielo

Este mundo y el mundo más allá no son distintos, sino que son
uno

Todo lo que uno ha hecho para la Verdad permanecerá en esta tierra, en este mundo

Y todo lo que ha hecho vivirá en el reino vivo

A medida que el hombre adquiera sabiduría

Y se salga de su mundo mental en el que vive

Este mundo se hará un mundo en el cual todos vivirán bien

Vaya a donde vaya, será el mundo de uno

Se podrá vivir tranquilo

Era de la creación del mundo

Hasta las nubes desaparecen

Hasta el viento desaparece

Hasta mi falsa ilusión desaparece

Yo también desaparezco

Absolutamente todas las creaciones de este mundo desaparecen

Sólo ha quedado la inexistencia, y en ella, la conciencia del universo

En aquellas épocas en la que vivía sin propósitos ni razones, con tormentos y prisas

Deambulando sin cesar siendo manipulado por mi ilusión

Veo que solamente he tenido prisa sin tener un lugar para ir

Junto al tiempo que ha transcurrido en silencio

Incontables historias han ido olvidándose

Veo que mis preconceptos y hábitos ilusorios son los que me han creado, a mi ego, yo

Las emociones, sentimientos y juicios que se han arraigado en lo profundo de mi mente

Se han hecho el dueño

Y sin razón, me he convertido en preso de esa ilusión

El tiempo en el que he vivido con esos preconceptos y hábitos, y la absurda ilusión

Eran en su totalidad fotos, pues al ser consciente de esto lo borro

Me desecho hasta a mí mismo al saber que soy una foto por vivir
dentro de una ilusión

Y al eliminar hasta el mundo que existe dentro de mi mente

Veo que sólo queda la mente de la Verdad

La mente de la Verdad que no desaparece aunque la elimine

Es la Verdad, es el Creador, es Dios, es Buda

Como el dueño de esta existencia viene al mundo como hombre

Y guía al reino de esta existencia

Y resucita al hombre con el Alma y Espíritu de esta existencia

Me doy cuenta de que he nacido nuevamente

En el reino del Alma y Espíritu que es la vida y que he recibido
una vida nueva

Luego de desechar y eliminar las incontables historias

Que existieron en la vida mundana sin propósito

Puedo ver que sólo queda este reino

Como yo nazco nuevamente

En el reino de la Vida, en el reino de la mente verdadera que están
dentro mío

Puedo saber que soy dios inmortal sin muerte

Tal como incontables profetas han hablado, he renacido nuevamente

He resucitado y he ido al Cielo eterno estando vivo

Veo que absolutamente todas las creaciones se crean nuevamente
dentro de mí

Y vivo en este reino sin muerte eternamente

Eterna, eterna, eterna y eternamente
Uno mismo sabrá
Si existe vida dentro de sí mismo
Si el reino de la vida ha nacido dentro de uno
Uno lo sabrá bien
Y uno mismo sabrá que no morirá

Hasta el río que fluye existe porque yo existo
Para la Verdad, aunque todo fluya, es simplemente eso
"Eso" significa que es la Verdad, que es el cimiento original
Las incontables historias que llenaban mi mente de bullicios han
    desaparecido
Yo, que he nacido en el reino de la Verdad dentro mío, me hallo
    escribiendo estas letras
¿No es esto el milagro?
¿No es esto la creación del mundo?
La creación del mundo
Es cuando desaparece el mundo y renace el nuevo mundo, el reino
    de la Verdad
Es cuando el mundo renace con el Alma y Espíritu de la Verdad
En el reino del Alma y Espíritu, esto es la creación del mundo
Al hacerme Buda, el Hijo Santo y el Santo, los cuales solamente
    los escuchaba mencionar
Un suceso imposible de pensarlo aún en sueños
Puedo ver que todas las personas del mundo están muertas
Debería salvarlos soplándoles la vida ¿no es cierto?

No esté atado a la vida mundana sin propósito

Si todos quieren ir al reino de la Verdad

Deben limpiar la mente y cuando uno desaparece por completo, es
el espacio de la Verdad

Y la persona que ha nacido en ese reino vivirá eternamente sin
muerte

En esta era bendita, el que no logra esto

Terminará muriendo eternamente

Pero el que se ha salvado, vivirá eternamente y salvará a las personas

El deber del hombre luego de nacer en este mundo es hacerse la
Verdad

Y el que ha logrado esto es alguien que lo ha logrado todo

Solamente la persona que nace como la Verdad y vive

Nacerá siendo dios

El que vive en este mundo vivirá en este mundo

El que ha nacido en el Cielo vivirá eternamente en la Verdad que
es el Cielo

Aquel que está vivo reconoce a los vivos y también a los muertos

Pero aquel que está muerto no reconocerá ni a los vivos ni a los
muertos

Aunque todas las montañas y ríos, todas las tierras verdes del
mundo

Existan con sus formas o desaparezcan

Lo que ha nacido en el reino de la Verdad no desaparecerá porque
es la Verdad misma

Esto es la Verdad

Uno espera ansiosamente al Salvador, al Mesías y a Buda Maitreya

Esta existencia delusoria que uno espera

Por más que espere eternamente, nunca vendrá

Cuando la existencia de la Verdad, en otras palabras, si la Verdad
viene al mundo

Debemos reconocerla como tal, obedecer sus palabras y uno debe
arrepentirse

Uno debe obrar para el reino de la Verdad luego de haber nacido
en ese reino

Esta es la vida de la Verdad

Es construir bendiciones genuinas

Y estas bendiciones serán genuinamente de uno

La bendición no se mendiga, sino que yo mismo debo construirla

La bendición que uno construye en el reino de la Verdad

No desaparece ni en lo mas mínimo, sino que todo lo que uno ha
hecho existirá eternamente

El reino del Cielo está dentro mío

Y con la bendición que he acumulado viviré eterna y eternamente
junto a esa bendición

El tonto que tiene una conciencia baja acumulará fortunas en su
mente ilusoria

El sabio con una conciencia elevada acumulará fortunas en la mente Verdadera

Así como se ha realizado en el Cielo

Todos se esforzarán en unión en esta tierra

Hasta el día que el Reino, en donde todos viven acorde al flujo de
la naturaleza, se realice

Sólo la Verdad misma en persona, puede dar a luz al Alma y Espíritu de la persona

Si un cerdo da a luz, nace un cerdo

Si un conejo da a luz, nace un conejo

Si un gorrión da a luz, sólo puede engendrar gorriones

Si una persona incompleta que es falsa da a luz

Nacerá una persona falsa e incompleta

Sin embargo si una persona verdadera, un hombre completo, da a
	luz

Nacerá una persona verdadera

El hombre es incompleto, pero en el caso de que exista un hombre
	completo en el mundo

Hará posible que el hombre renazca con el cuerpo y mente de la
	Verdad

En el reino completo de la Verdad

Como el origen de la Verdad es el Alma y Espíritu de la Verdad

La habilidad de dar a luz como el Alma y Espíritu de la Verdad

Lo puede hacer únicamente el Alma y Espíritu mismo, que es el
	origen

La persona verdadera da a luz a una persona verdadera

El mundo del dueño del mundo, el mundo sin muerte

Tras el tiempo que corre en silencio

Veo que mi vida también envejece en silencio

Mi mente no ha podido descansar

Por las incontables discusiones, por los incontables tormentos y aflicciones

Veo que las incontables penas e incontables recuerdos

Han sido un falso sueño

Nacer, vivir y morir en el mundo, es un falso sueño

Uno puede entender esto únicamente cuando haya nacido en el mundo de la Verdad

Esto es imposible entenderlo si uno está dentro del mundo humano

Ya que no hay nadie en este mundo que haya nacido en el mundo de la Verdad

Puedo ver que no hay nadie que sepa de esto

La vida del hombre desaparece como una nube, desaparece como el viento

El hombre vive sintiendo vacíos, aferrándose a la vida

Aunque muera seguirá aferrado a esa vida y quedará como una falsedad en un mundo falso

Pero así como un sueño no existe, el hombre no se da cuenta de que esa vida es inexistente

La persona que ha nacido en el mundo y vive en él, sabe los principios del mundo

Y vive en el mundo siendo el mundo mismo

Por esto, vive tal como es, sin el ir y venir del tiempo

Pero no puedo ver personas vivas entre las personas que viven en el mundo humano

Ya que no existe el tiempo que corre en silencio

Ni existe mi vivencia de vida, veo que tengo la mente del mundo

El mundo de la Verdad ha nacido dentro de mí

Esto es posible sólo cuando mi mente se haya hecho el mundo

Y es el dueño del mundo quien me ha permitido nacer en el mundo

Incluso entender el principio de la vida y muerte del hombre

Incluso entender absolutamente todos los principios del mundo

Me lo ha permitido el dueño del mundo

Veo que el mundo en el que yo era el mejor, era el mundo fantasma y veo que era la muerte

El mundo en donde sólo el dueño del mundo vive

Es la Verdad, el mundo real y es el mundo en el que yo vivo

Incluso las incontables cosas que fluyen en silencio

Desaparecen sin sentido dentro mío

Pero veo que en el mundo del dueño del mundo no hay muerte

El mundo que ha renacido dentro mío es aquí y esta tierra

Pero veo que es un mundo del Alma y Espíritu, el mundo Verdadero

Incluso el Cielo, el Reino de Dios y el Reino del Santo están dentro mío

Ya que este mundo renace dentro de mí

El reino que ha renacido, es el reino del dueño

Veo que también es mi reino

¿Quiere desaparecer eternamente o quiere vivir eternamente siendo dios inmortal?

El agua del río que fluye tranquilo y en silencio

No intenta saber hacia dónde se dirige

Simplemente fluye

Como ni siquiera posee mente

Veo que existe sin noción de que es agua

Es únicamente el hombre quien tiene un ego

Y tiene choques con todo y con todos

Tiene además innumerables cantidades de resentimientos y penas

El hombre vive dentro de una sombra del mundo

Con muchos problemas y echa culpas sin cesar

Ya que el mundo que uno ha creado no es acorde al mundo

Y como otras personas no poseen la misma mente que uno

Veo que vive con rencores

Incontables cosas han venido al mundo y se han ido en silencio

Pero simplemente vivir esta vida y partir sin querer lograr nada

Es el principio del mundo y es el principio de la naturaleza

Aunque en este mundo haya cosas existentes e inexistentes

El dueño original no tiene formas

Todas las existencias presentes son la expresión en formas del dueño original

Entonces ¿qué es lo que intenta buscar y lograr?

Vivir acorde al flujo de la naturaleza, así como la naturaleza lo
   hace
Vivir como el agua que fluye, así como la naturaleza lo hace
Partir luego de vivir en silencio
Y partir luego de vivir sin resentimientos y penas
Es el principio del mundo y es la Verdad
Pero veo que el hombre ha abandonado el orden natural y la pro-
   videncia de la naturaleza
Patalea y trata de vivir únicamente para sí mismo
Y termina muriendo encerrado en su propio mundo ilusorio

La persona que trata de realizarlo, fracasa
La naturaleza retorna al origen
Porque vive acorde a la providencia de la naturaleza
Pero como el hombre vive acorde a su propio propósito
Ni siquiera retorna al origen y vive una vida que termina desapa-
   reciendo
Construyendo una casa mental sólo para sí
Viviendo para sí mismo, pensando que no morirá
Finalmente termina muriendo eternamente
Me gustaría que el hombre también tenga sabiduría
Dentro de los hábitos existentes, el hábito de poseer algo se ha he-
   cho el hábito
Y veo que vive únicamente tratando de poseer
El agua y el árbol, el viento y la nube
Y todas las existencias presentes

Viven acorde al flujo de la naturaleza junto a la naturaleza

Viven adaptándose, porque a diferencia del hombre, no poseen la mente de sombras

Tienen la mente viva del origen

Esta mente no posee sufrimientos, envidias ni celos

Tampoco posee los incontables deseos de posesión del hombre ni su mente

Por lo tanto, esto es el estado de la gran libertad y liberación

Ya libre del deseo y de la mente humana

Es el estado de la nirvana y uno puede vivir acorde

Cuando el dueño del origen permita a uno nacer en el reino del origen

Uno puede vivir eternamente siendo dios inmortal

Pero únicamente el hombre es quien vive dentro de su propia mente construida por sí mismo

Y como uno debe borrar completamente ese mundo que es inexistente en el mundo

Los sufrimientos y el peso de sus obsesiones y resentimientos

Se han hecho propios, y uno vive pensando que sólo lo suyo es correcto

Pero nada de eso existe, simplemente son sus preconceptos y hábitos

Uno vive cargando solamente sombras del mundo que son inexistentes

Y termina muriendo

Deseche todo y así se hará la mente del cimiento original

Porque solamente cuando exista el ser de uno que renazca en ese
   reino
Puede hacerse dios inmortal con vida eterna

No hay nada que sea de utilidad
No hay nada para llevar
Son todas posesiones de la conciencia de inferioridad de uno
Como el hombre termina muriendo sin dejar rastros
A causa del demonio del tiempo que corre en silencio
¿Qué importancia tiene?
¿Qué sentido tiene?
El propósito y el objetivo de vivir
Es desechar la vida que uno ha vivido, la cual es un mundo de
   sueños
E incluso desecharse a sí mismo
Para así vivir eternamente
Algunos terminan desapareciendo
Pero algunos viven eternamente siendo dios inmortal
¿No será esto el milagro de los milagros?

El mundo eterno

Aunque en el cielo azul existan innumerables cosas

El cielo simplemente existe en silencio

Aunque existan cosas o no veo que es el cielo

El cielo verdadero de la mente original

No está sujeto al azul, ni al color, ni al olor ni gusto

No está sujeto al tacto, ni a lo que escucha ni a lo que ve

Es el sitio en donde absolutamente todo ha cesado

Es el sitio que ha superado los preconceptos y hábitos del hombre

El hombre vive dentro de la mente de su delusorio ser

Pero cuando el hombre cambie su mente

Por la mente eternamente viva

Por la mente del cielo anterior al cielo

Y cuando el mundo se haga la mente del hombre

El hombre vivirá realmente

Se hará dios inmortal y eterno

Y vivirá eternamente dentro de su mente que es el mundo

Cambiar la mente humana

La mente de fotografías que es una réplica del mundo

Por la mente del cielo

Por la mente del cielo anterior al cielo

Por la mente de la Verdad, el Chong y Shin

Es el Do

El hombre, por su mente ilusoria de fotografías

Vive deseando únicamente poseer

Tratando de llenar su mente con esto y aquello por sentir carencia

Sin embargo cuando uno hace sumas en su mente, lo único que obtiene es sufrimiento y carga

Hasta ahora, en el mundo incompleto

La única educación del hombre fue enseñar a poseer dentro de la mente

Por esto, el hombre no se ha podido completar

Sin embargo, si uno simplemente sustrae su mente

El hombre retorna al cielo anterior al cielo que es la mente de la Verdad

Y se hace la mente de ese cielo

No es poseer el mundo de fotografías, que es la mente humana

Sino que es poseer la mente de este mundo que es la Verdad

Y el día en el que uno renazca en este mundo

Aquí será el Cielo y el Paraíso

Y aquí será el Cielo de la vida eterna

Aquel que ha nacido en el Cielo estando vivo

Es el que ha logrado la completud humana

El estado completo significa que eternamente no tendrá muerte

El Cielo Vacío que está vivo

Este cielo vacío es el cimiento original

Los padres de todas las creaciones de este universo son el cielo vacío

El dueño de todas las creaciones de este universo es este cielo vacío

Esta existencia misma, es la Verdad de todos los tiempos

Y como esta existencia está viva, el mundo está vivo

Absolutamente todo este mundo, es la expresión del cielo vacío

Como este cielo vacío está vivo

Incontables existencias nacen y retornan aquí

Todas las creaciones del universo

Todas las creaciones del universo nacen del cimiento original, la
Verdad
Y retornan nuevamente al cimiento original
Como el cimiento original está vivo, todas las existencias viven
Y todas estas creaciones tienen una expectativa de vida según su
forma
Éstas son las formas del Creador, el cimiento original
Aunque toda materia aparece y desaparece
Lo que ha renacido en el cimiento original
No desaparecerá

Verdad y falsedad

La Verdad es existencia

La Falsedad es inexistencia

La Verdad es estar salvo

La Falsedad es estar muerto

La Verdad es la vida de la Verdad

La Falsedad es una ilusión sin vida

La Verdad es enteramente este mundo

La Falsedad es la mente y el cuerpo del hombre

La Verdad es una existencia viva, eterna e inmortal

La Falsedad es la ilusión misma, es la foto que no es la Verdad

La Falsedad son las fotos tomadas de existencias del mundo

La Verdad es el mundo

Vivencia de una vida falsa

Si uno permanece en soledad sin familiares ni amigos
En tierras extranjeras en donde las caras y hasta el agua son diferentes
Uno no tendrá ningún lugar para ir ni nada para hacer
Si uno no tiene dinero, ni lugar para dormir o descansar
La vida le será nostálgica
He tenido muchos sueños y aspiraciones en mi juventud
Pero antes de entender qué es lo que quise hacer y lograr
Ese tiempo se me ha terminado
Los recuerdos que tenuemente vuelven no son hermosos
Sino que son de vivencias de una época desesperante
No había nadie que se hiciera cargo de mi vida
No había nadie que pensara en mí ni entendiera mi vida
La vida que viví persiguiendo un sueño ilusorio
Fue ardua y dolorosa
Junto al tiempo yo también envejezco
Ahora estoy infinitamente agradecido a las situaciones tristes del pasado
Que eran mi suerte y mi destino
Como no soy alguien sobresaliente ni inteligente
Como soy la persona más insuficiente
Me he regañado muchas veces a mí mismo

Y he vivido regañándome constantemente, diciéndome que soy la
    peor persona
Aunque las personas vivan pensando que son sobresalientes
No he encontrado nada sobresaliente en mí
Era una persona que no podía perdonar mis mentiras
De todas maneras, después de que el tiempo haya pasado
Pude ver, al hacerme la Verdad
Que en esta vida que es como un sueño
No hubiese importado vivir de esta o aquella manera
Dentro de mi estructura mental de preconceptos
La única mente que he tenido fue la mente que discierne
Esto y aquello, esto es correcto y aquello es incorrecto
Sucio y limpio, frío y calor, bueno y malo
En la vida del hombre, en el mundo humano
Existen muchos momentos críticos a superar
Muchas alegrías y tristezas
Que existieron justamente por mi mente
Aunque la vivencia del pasado sea una ilusión inexistente
El hombre vive poseyéndola en su mente
Por lo tanto poseerá mucha carga
Puedo ver al nacer en el nuevo mundo
Que he vivido riendo y llorando en este mundo, arriesgando mi
    vida por nada
Simplemente lamento haber desperdiciado mis años soñando un
    sueño ilusorio
Que es inexistente en el mundo, que no tiene sentido ni propósito

En el nuevo mundo no existe el pasado ni el futuro

Uno ve tal como son las cosas y ni siquiera posee la mente del ego

El mundo de sueños que era la vivencia de mi vida ha desaparecido

En el Cielo, al que solamente lo hemos escuchado nombrar

No existen las preocupaciones ni ansiedades, hay libertad y liberación

Hay libertad porque yo no existo, hay liberación porque yo no existo

Como yo no existo, siento paz infinita

Como yo no existo, puedo saber que el dios que ha renacido en la Verdad está vivo

Ya que me he hecho la Verdad y sé todos los principios del mundo

Los cuales ni me había atrevido a pensar en sueños

Me cuesta creer que esto sea real y no un sueño

He borrado y eliminado completamente de este mundo a mi inútil ser

Entonces queda solamente el mundo

Luego de desechar hasta el mundo, queda solamente el cielo vacío

Ahora que renazco con la mente y el cuerpo de este cielo vacío

Siendo mi mente esta existencia

Ya que ahora vivo siendo el Alma y Espíritu de la Verdad

Puedo saber que mi ser del pasado era falso y mi ser verdadero es el real

El mundo de la Verdad existe dentro mío y es justamente aquí el Cielo

Yo que he nacido aquí, viviré eternamente

El dueño de este reino será el hombre que posea este reino

Veo que la época en la que vivía arriesgando mi vida en una vivencia falsa ha desaparecido

He tenido sueños inconclusos e innumerables deseos inconclusos

Estoy agradecido de que mis sueños y deseos se hayan quedado inconclusos

Todo lo que he tratado de buscar y de encontrar fuera, era falso

Y todo lo he encontrado dentro mío veo que es la Verdad

Como todas las personas viven al revés tratan de buscarlo fuera de sí

Pero la búsqueda genuina para encontrarlo y para poder lograrlo

Es buscarlo dentro de sí mismo

Aunque cada una de las personas tengan sus propias perspectivas de vida y valores

Podrán saber que son incorrectos

Cuando dejen de poseer su mente, que es una burbuja

Incluso sabrán los principios del mundo cuando hayan sustraído esas burbujas

Agua

El agua que fluye, aunque fluya y fluya
Sigue el curso del agua
El agua que serpentea y se transforma en cascada
Veo que es realmente un espectáculo
El agua cristalina fluye y fluye
Por más que haya esto y aquello en su camino
Fluye sin trabas siguiendo el curso del agua
Choca con miles de objetos
Pero fluye silenciosamente sin argumentos

Al bajar valle tras valle, siguiendo el torrente de agua
Veo que no cambia, el agua sigue siendo agua
El agua que no tiene mente ni preocupaciones
Fluye y fluye quién sabe a dónde
Aunque haya tenido incontables historias
El agua no las guarda al no tener mente
Aunque le haga esto o aquello no habla, como ni siquiera tiene esa
    mente
Veo que es libre y libre de tormentos
Veo que es la Verdad misma que siempre vive
El agua, que sabe las leyes naturales del cimiento original, es el
    cimiento original

Aunque exista o no exista, aunque choque o no

Aunque esto y aquello exista o no

Veo que el agua que no se obsesiona con el agua está viva

Qué vergüenza para el hombre que posee su propia mente

Que carga muchas historias y razones

Uno debe tener la mente del cielo azul

Como la mente del agua, como la mente de la naturaleza

Y debe renacer en el cimiento original

Para poder hacerse Dios, un Santo y Buda

Las personas que viven en el pecado no tienen vergüenza

Viven pensando que uno mismo es superior y que por eso existe el
    mundo

Busquemos dentro de uno

Un ave vuela sin un destino fijo

Pero instintivamente sabe hacia dónde ir

El ave migratoria que vive en un lugar y parte

Continúa su ruta y hasta a veces sufre la muerte

Hasta hay aves migratorias que cruzan la montaña más alta del
mundo

Que es el Himalaya y retornan

Incluso la vida de las aves que se muestran libres

Continuamente es acechada por la muerte

El hombre desea vivir libre como una nube que flota

Desea vivir libre en un mundo sin impedimentos

Anhela partir sin un destino y sin estorbos

Pero por sus lazos y sus posesiones, no puede partir libremente

Por la agotadora vida del hombre, por la inútil vida del hombre

El hombre también habrá tenido momentos que ha deseado la
muerte

El deseo de desprenderse de lo que ha vivido por sentirse asfixiado

Buscando hacer lo que sea para ser libre

Este deseo infinito de ser libre es la mente humana

Por este agobio, partir hacia algún templo de montaña u otro país

Dejando a su esposa e hijos

No es justamente la manera de desprenderse de sus apegos

Tal vez, se esté escapando de la realidad o sea lo que sea

Seguramente será la manifestación de su conciencia de inferioridad

Que es invisible a sus ojos

Hay quienes se divorcian y hasta hay personas que se suicidan en masa

Porque la realidad no es acorde a sus mentes

Aunque todas estas alternativas hayan sido para su propio beneficio

Todos terminaron cargando únicamente resentimientos y penas

En consecuencia, no han sido para nada beneficioso

En épocas difíciles, cuando no había lo suficiente para comer y para subsistir

Hubieron un sin fin de casos en el que el marido deja a la esposa e hijo

Y parte hacia Japón con la promesa de retornar con dinero y jamás retorna

Luego de un tiempo, ella vive como una joven viuda

Esperando al marido fuera de su casa

Mirando el horizonte hasta que los ojos se le salgan del lugar ansiando su retorno

La mujer envejece y aunque su marido retorne, vuelve con su nueva esposa e hijos

O el marido le hace saber que no podrá volver por tener una nueva esposa e hijos

¿Dónde encontrará nuevamente su juventud que la ha perdido?

Sólo quedan resentimientos y penas

Aunque las personas hayan vivido con muchas historias de esto y
aquello

Esto y aquello son sólo resentimientos

Aunque se vayan o vuelvan

No han tenido libertad genuina ni han vivido una vida correcta

¿A dónde habría que ir?, ¿en dónde tendría que vivir para ser libre
y desear vivir?

No trate de buscarlo fuera suyo

Deseche y deseche su mente inservible

Elimine y elimine su tonto ser

Y cuando su inservible ser deje de existir

Encontraría libertad genuina

Y podría ir al lugar a donde debe ir y viviría bien

Si vive siendo uno con las montañas y arroyos que no hablan

Siendo uno con el cielo que no habla

Siendo uno con el mundo que no habla

No tendrá carencias, tendrá libertad y liberación

Aunque busque libertad y busque felicidad aquí o allí

Siendo esclavo de su mente

No encontrará libertad ni felicidad

Cuando el hombre se haga uno con la mente del mundo

Siempre descansará al no poseer la mente falsa

La mente de uno nunca cambiará

Ya que esa mente no tiene alteraciones

Sin variaciones

Tendrá libertad y se habrá liberado

La persona que viva luego de haberse desechado a sí mismo, a su
   tonto ser
Será Buda, un Santo y será un hombre completo
Aquel que se deseche a sí mismo, al tonto
Puede ir al Cielo eterno estando vivo, al cual sólo hemos escucha-
   do mencionar
¿Es esto una realidad o un sueño?
Si vive sabiendo que vive en el Cielo
Tendrá una vida realmente alegre
Aunque el cielo azul no hable
Realiza todas sus tareas
Aunque las montañas y arroyos no hablen
Realizan todas sus tareas
Únicamente el hombre es el que habla mucho y piensa mucho
Pero no hay absolutamente nada que haya hecho de manera correc-
   ta; esto es la vida del hombre
Me agrada el mundo porque no habla
Y detesto al hombre porque habla mucho
¿Habrán palabras que no sean de su fanfarria?
¿Qué es lo que uno anhela y qué es lo que debe hacer?
Si la totalidad de esto y aquello es un sueño inútil
Así como cuando uno despierta de un sueño sabe que es inútil
Y ya no se ahoga dentro de ese sueño
Eliminarse a sí mismo
Es la medicina para despertar del sueño

No sueñe

Veo que todos los sucesos y eventos perdidos en la historia

Terminaron desapareciendo

Las personas de aquellas épocas, que para su propio beneficio

Han peleado guerras, han tendido trampas

Y también, para el propio interés de uno, a través de partidos políticos

Innumerables personas han peleado en cada momento

Para el esplendor de sus riquezas y su honor

Han vivido ese momento y han desaparecido del mundo

Incluso héroes, reyes, vasallos y el pueblo

Se han ido también junto a esa época

Todos los que han vivido, siendo esclavos de su mente

Han tratado de poseer y acumular dentro de esa mente

Pero veo que no han podido acumular nada ni han logrado nada

Veo que todos han muerto soñando un sueño falso

El agua del río que fluye no habla pero cumple con su deber

El cielo no habla pero cumple con su deber

La tierra no habla pero cumple con su deber

La naturaleza no habla pero cumple con su deber y vive para el mundo

El hombre, extremadamente atareado, vive con prisas

Pero no hay nada que haya hecho para el mundo

Ni ha podido vivir en el mundo

Siendo esclavo de la falsedad de su mente

Ha terminado muriendo soñando un sueño falso

El hombre no aprende de esta lección y no trata de ser como el
mundo

Veo que es completamente ignorante de la tristeza

De terminar desapareciendo aferrándose a sí mismo

Únicamente la persona que es consciente de esto siente angustia

Pero no hay nadie que sepa de esta angustia ni nadie que la com-
prenda

Sólo para el que lo sabe, su corazón arde

En vez de querer heredar su nombre dentro de un mundo de sueños

Haga que su ser quede en el mundo

Ya que lo único valioso para el hombre es la vida eterna

Y el sentido del hombre es estar vivo

Pero el hombre tampoco sabe esto

Simplemente vive dentro de un sueño limitado

Sin poder escapar del contenido del sueño

Es lamentable, muy lamentable

La vida del hombre es un sueño que dura setenta a ochenta años

Aquellos que la han vivido y se han ido

Simplemente han soñando sus propios sueños

Ya que terminan desapareciendo del mundo como el humo, como
un sueño

Sin dejar nada ni nada que quede en el mundo

El hecho de recibir el cuerpo humano

Siguiendo la cadena de ancestros, desde la antigüedad

Desde los ancestros de los ancestros

Y los ancestros de esos ancestros

Unidos por generación en generación a lo largo de todo este tiempo

Hasta que uno existe hoy en día

¿No es el milagro de los milagros?

Ya que ha llegado la era en la cual uno puede salvarse

¿No debería dejarlo todo de lado y adentrarse en esta era?

Adentrarse en esta era

Significa que cuando el dueño del mundo haya venido al mundo
para salvar al hombre

El hombre debe salvarse

¿Habría algún sentido o propósito si uno no se salva?

¿Habría algo más importante que salvarse?

De las incontables eras que han ido y venido

Es ahora el tiempo en el cual en hombre puede salvarse

Si uno no logra salvarse en esta era, el tiempo para salvarse desaparecerá eternamente

Por lo tanto la persona que se salva en esta era será una persona
extraordinaria

Mientras que la persona que no se salva será un tonto

En vez de soñar un falso sueño, despiértese

Y deseche sus historias de sueños y todo lo que ha soñado

Despertar y vivir en el mundo real

Es justamente el método para salvarse

El agua fluye al igual que el tiempo

Todo lo que existe fluye y desaparece

Esto es el principio de la naturaleza, es el flujo del universo

Cuando no desaparece lo que está sujeto a desaparecer

Es haberse salvado y es estar vivo

Despiértese del sueño

No sueñe

No se muera desperdiciando tiempo en cosas inútiles sin importancia

Uno ha traicionado al dueño del mundo estando dentro de un sueño

Construyendo su propio mundo dentro de un sueño

E intentando ser el dueño de ese mundo

Pero lo único que logra tener es prisa, cargar más peso y sufrimiento sin tener libertad

¿No es un sueño falso vivir acorde al programa de ese sueño?

Arrepiéntase, discúlpese ante el dueño del mundo

Por haber vivido intentando apoderarse de las existencias del dueño

Robando las pertenencias del dueño

Aunque le diga al hombre

Que si desecha únicamente ese sueño

Puede retornar nuevamente al mundo del dueño

Y una vez allí, a usted que vive dentro de ese sueño

Se le concederá la vida eterna

Cuando haya resucitado en el existente mundo de la Verdad

Pero veo que el hombre simplemente sigue soñando

Dentro de una ilusión, que es un mundo dentro del sueño

Deambula y deambula perdido en un sueño falso

Sin lugar a donde ir, cargando únicamente sufrimiento y peso

Ha llegado la medicina que despierta el sueño

Si uno resta el sueño, uno despierta

Cuando uno despierte, será un nuevo mundo y será el mundo de la
    Verdad

Tome la medicina, tómela

Por favor tome la medicina

Sólo la persona despierta se esfuerza desesperadamente

Para que no siga soñando, despertando a quien sueña

Como es de esperar, el hombre no sabe ni esto ni aquello

Lo único que pienso es en darle al hombre la medicina para que
    despierte

Cuando muchas personas hayan tenido resultados

Tengo esperanzas de que muchos la tomarán

La vida del hombre sin sentido

Para toda persona, la felicidad es un momento; el infortunio también lo es

Hasta la familia que todos envidian, tiene infortunios

Uno espera que la situación mejore, pero cuando esto sucede

Continúan las pretensiones

La pretensión de felicidad en el hombre

Es una manifestación de su conciencia de inferioridad

Aunque el hombre logre todo lo que aspira

De todas maneras se termina muriendo y todo el tiempo que ha vivido es un sueño

Pero si el hombre vive sabiendo el principio de la vida eterna

El hombre realizará su deber correctamente

El ser que no sabe absolutamente nada, es el hombre

Poseer cosas que son acordes a su preferencia es su única esperanza

Pero esto no es más que la manifestación de su conciencia de inferioridad

El tiempo pasa, y todos aquellos cuyas vidas finalizaron

Veo que terminaron desapareciendo del mundo

Veo que las incontables cosas que el hombre ha intentado lograr

Han sido simplemente un sueño de atardecer

Sin haber logrado ni hecho nada

Las personas que siguen poseyendo los pensamientos del hombre

Han terminado desapareciendo

La razón por la cual el hombre no conoce los principios del mundo

Es porque no ha llegado a vivir en el mundo ni ha podido nacer en
el mundo

Uno desconoce el principio de que puede existir porque el mundo
existe

Por lo tanto, veo que no sabe a dónde debe ir ni sabe de dónde ha
venido

Simplemente vive dentro de un mundo mental que uno ha construido, siendo su molde el mundo

Veo que sólo merodea enloquecido en busca de su propia satisfacción

No hay en el mundo alguien que pueda parar el tiempo que fluye

Únicamente Dios hará que el hombre renazca en el mundo en
donde no existe el tiempo

Únicamente Dios podrá salvarnos

La salvación es permitir al hombre que nazca en el mundo sin el
tiempo y viva

Ya que no existe el tiempo

No existe el nacimiento, envejecimiento, enfermedad ni la muerte
del hombre

Ya que no existe el tiempo, será dios eterno e inmortal

Aunque el hombre no pueda ganarle al tiempo

Únicamente Dios es quien le gana al tiempo y llevará al hombre al
mundo más allá

Echar culpas a las vivencias de la vida, echar culpas al tiempo, a

los sufrimientos y tristezas

El nacimiento, envejecimiento, enfermedad y muerte del hombre

Los siete sentimientos y los cinco deseos del hombre

Existen únicamente en el mundo del pecado que es la vida del hombre

Pero en el mundo de la Verdad, en el reino de Dios, éstos no existen

El mundo es amplio y mi vida humana es limitada

Veo que el tiempo ha devorado

Mi adolescencia y mi juventud que desvanecieron en silencio

Tiempo, devuélveme mi juventud

Mi juventud ha desvanecido en silencio sin que haya podido hacer
    nada

No imploro por el placer de ser joven nuevamente

Sino que es por el corto tiempo que me queda

De salvar a las personas del mundo, que es mi único propósito

Ya que el mundo es amplio y soy cada día más débil y más viejo

Y al no poder esparcir ampliamente al mundo mi voluntad

Quedan en mí lamentos

El hombre inmaduro no sabe a dónde debe ir, ni tiene conoci-
    miento

Y por su débil perseverancia de lograr la Verdad en lo profundo de
    su alma

Aparentemente necesitan tiempo

Envejecer sin poder grabar esta realidad de la Verdad en el corazón
    de las personas del mundo

Sin poder resucitar a las personas en el reino de la Verdad

Envejecer es mi enemigo

Me es difícil transmitir esta noticia bendita al hombre

Que vive encerrado dentro de su propio molde mental

Que vive atado a sus preconceptos y hábitos

Siendo éstos lo único que sabe

Sin embargo, con el paso del tiempo, aquí y allí

Las personas entenderán de a poco mi voluntad que es la Verdad

Cuando las personas no logren lo que tratan de lograr

Cuando sus deseos de posesión sean frustrados

Cuando no puedan llenar sus conciencias de inferioridad

Mis palabras podrán ser escuchadas

La persona que ha perdido mucho en la ilusoria vida del hombre

La persona que es pobre de espíritu y la persona enferma

Tratando de encontrar algo para sí

Puede adentrarse antes en la Verdad

Me pongo a pensar que indiferentemente a lo que uno haya logrado o hecho

Algún día, cuando su familia, su fortuna o uno mismo colapse

El hombre puede recobrar la razón

Y puede escuchar las palabras de la Verdad

Así como un rico con espalda caliente y barriga llena

No realiza labores físicos

La persona que posee muchos residuos falsos en su mente

Por esos residuos falsos, no puede escuchar las palabras de la Verdad

En la vida del hombre, absolutamente todos los resultados

Son producto de su esfuerzo y dedicación

Esto es la ley de causa y efecto

Oye tiempo, oye tiempo, no te vayas

Hasta que el sufrimiento y la carga de las personas del mundo se
   hayan desprendido
Hasta que el hombre que termina muriendo dentro de su mente
   sea salvado
Tiempo, no te vayas
Aunque este trabajo sea mi único deber en esta limitada vida del
   hombre
Como el mundo es amplio, mi corazón está con prisas

La vida del hombre, la vida del mundo

Numerosas personas han venido al mundo y se han ido
También vienen y se van
Pero veo que en el mundo no hay nadie que sepa
De dónde ha venido y a dónde va el hombre
La vida del hombre en este mundo
Nace a partir de lazos personales y vive de acuerdo a esos lazos
Pero absolutamente nadie sabe por qué ha nacido
Ni por qué vive
Pero aquel cielo que no habla
Sabrá de dónde ha venido el hombre, por qué vive y hacia dónde
    va

El hombre que vive dentro del tiempo que corre en silencio
Desaparece junto al tiempo
Y veo que no deja rastros en el mundo
Si le preguntamos esto al cielo
Si uno se hace el cielo mismo
Sabrá que el hombre es inexiste en el mundo
Simplemente ha muerto y ha desaparecido
Si es que ha ido a algún lugar, será el infierno
Pero el infierno es una réplica del mundo que el hombre ha creado
Por ende es un mundo inexistente

Es un mundo delusorio por lo tanto inexistente

Veo que el hombre termina muriéndose luego de vivir setenta a
ochenta años

Pero si el hombre se hace el cielo que no muere

Si nace y vive en ese mundo, no tendrá muerte

Lo que existe en este mundo, existe

Lo que no existe en este mundo es una delusión inexistente

El Cielo existe en el mundo y el paraíso existe también en el mundo

La existencia que eternamente no tiene muerte en este mundo

Es el cielo vacío

El hombre piensa que este cielo vacío existe sin ningún propósito

Pero este cielo vacío es una existencia viva

Son los padres de todas las creaciones del cielo y tierra

Esta existencia es la fuente del mundo

Esta existencia es el origen del mundo

Esta existencia es el cimiento original

En este mundo, la única existencia de la Verdad es esta existencia

Sin renacer en el cielo vacío del universo

Con las propiedades del cielo vacío, de la Verdad

No existe lugar en donde la palabra eternidad pueda establecerse

Aunque este cielo vacío no sea una existencia material

Está compuesto por el Alma y Espíritu vivo

Está compuesto por el Chong y Shin

Es la existencia del Padre y Espíritu santo

Y es el Dhammakaya y Sambhogakaya

Este reino es el Cielo
Este reino es el Paraíso
De todas las existencias de este mundo
Únicamente esta existencia es eterna y viva
Para vivir la vida del mundo sin muerte
La única manera es nacer en este mundo
No busque el Cielo y el Paraíso en falsas delusiones
Tendrá que buscarlo en el existente mundo real
De esta manera será una persona sensata
Puedo ver que el Cielo y el Paraíso que las personas han buscado
Fueron un Cielo falso dentro de sus propias delusiones

La vida de sueños del hombre y el cielo vacío

¿A dónde y para dónde hay que ir?

El hombre que desconoce su camino se esfuerza por obtener posesiones dentro de un sueño

Tiene prisas por cierto, pero sus acciones son en vano

La persona que ha despertado del sueño sabe que el sueño no tiene
importancia

Pero la persona que se encuentra dentro del sueño no lo sabe

Justamente porque está dentro de un sueño

Uno vive con prisas y deambula perdido

Pero es simplemente la ilusión de uno la que merodea dentro de su
mente

Veo que el hombre no intenta despertar del sueño

Siendo el despertar, el espacio de la Verdad genuina

La vida dentro del sueño es una vida de sufrimientos y cargas

La vida dentro del sueño es ilusoria

La vida dentro del sueño es simplemente un sueño sin sentido

Pero así como hay personas que dicen que los deje soñar

Agonizan, sufren y gimen con sufrimientos y cargas dentro de una
ilusión sin sentido

Éstos no son pertenencias del mundo sino que son de uno mismo

Siendo esto, un sueño

La delusión silenciosa de uno se ha hecho uno mismo

Y uno se mueve con prisa

Pero al tener prisa, lo único que ha realizado es un sueño

Como el tiempo que corre en silencio

Como la vida del mundo que fluye en silencio

Innumerables cuentos y eventos de esto y aquello

Se han hecho un sueño y terminan desapareciendo como un sueño
que desaparece

Lo que uno ha deseado lograr dentro de un sueño

Lo que uno ha intentado encontrar dentro de un sueño

Aunque lo logre o lo encuentre

Dentro del sueño será simplemente un sueño

El silencioso cielo vacío existe sin interesarle en lo absoluto

Las diversas historias del hombre

Sólo el hombre que sueña tiene historias y eventos de esto y aquello

El silencioso cielo vacío crea todas las creaciones del universo

Y les permite la vida de acuerdo al flujo de la gran naturaleza

Pero el hombre que habla mucho y su vida que ha vivido a voluntad propia

Veo que es también un sueño

Sin poder unificarse con el mundo

Sin poder vivir de acuerdo a la voluntad del mundo

Ya que el hombre vive a su propia voluntad, no puede nacer en el
mundo

Por esto, su vida es un sueño

La mente que discrimina esto y aquello

Nostalgias, arrepentimientos, deseos

Lo bueno y lo malo, gustos y disgustos

Todo esto también es un sueño

Ya que el cielo vacío no posee nada de esto, veo que goza de libertad y liberación

El cielo vacío existe más allá del mundo de sueños del hombre

Vive sin estar aferrado a la vida

Vive sin palabras y sin discernimiento de esto y aquello

Veo que solamente el cielo vacío es noble

No tiene sueños ni vivencias de vida

Pero está vivo y se ha ya librado de todo

Veo que ese estado de liberación es un estado supremo

Supremo significa que no posee una mente impura

Por esto es supremo y sublime

Es supremo porque no pertenece a absolutamente nada, existe por
sí misma

Y realiza todo lo que debe hacer en silencio

Es supremo porque es una existencia eterna e inmortal por sí misma

Ni siquiera posee el discernimiento de que ha hecho algo

Es supremo porque aunque esté vivo, no permanece en esa vida

Es supremo porque no permanece en los preconceptos ni hábitos
de esto y aquello

Aunque no hable ni tenga planes

Hace todo lo que debe hacer de acuerdo al flujo de la naturaleza;
   por esto es supremo

Es supremo porque vive la vida del flujo natural

Realiza obras del flujo natural

Y todo es realizado de acuerdo al flujo natural

Como no tiene el discernimiento de que es frío, caluroso, feo, sucio, limpio

Ni bueno ni malo

Como no tiene absolutamente nada de esto y aquello, es supremo

Como no tiene el deseo de querer realizarse

Ni siquiera intenta realizarse, es supremo

Como no tiene deseos en lo absoluto, es supremo

Aunque el agua fluya o el viento sople

No interfiere en su curso ni en las incontables situaciones

Y como no está sujeto a las incontables catástrofes, es supremo

Como no cede en ninguna de las condiciones ni tiene muerte

Y como se ha ya librado, es supremo

Veo que es el dueño del mundo y es el Creador

Es supremo porque no se ha mostrado como tal ni siquiera una vez

Da vida al hombre y a todas las creaciones

Dándoles todas las condiciones necesarias al mundo

Y como no tiene el discernimiento de que les ha dado la vida, es
   supremo

Aunque haga algo, no tiene el discernimiento de que lo ha hecho

Aunque lo haya realizado, no lo tiene presente

Es por esto, supremo

Aunque entregue todo al mundo

No lo tiene presente de que lo ha entregado, por esto es supremo

Aunque haya realizado toda la creación material

Y haya realizado toda la creación espiritual

Como no lo tiene presente, es supremo

No tiene planes ni deseos de querer hacer algo

Es supremo porque salva y da vida

Aunque salve todo, no espera nada a cambio

Es supremo porque simplemente lo hace

Viaje a una isla en mi juventud

En el medio del mar desolado en donde las olas azules agitan

No puedo saber las distancias ni cuánto debo seguir

El barco en el que estoy a bordo sigue su rumbo

Será que el oleaje no es usual

Que olas golpean sus lados y hacen retumbar el barco

Se me ocurre que terminaría muriendo si estas olas se tragaran al barco

Miro al capitán y sus tripulantes

Veo que siguen con sus trabajos como si nada pasara

Aunque el mar guarde incontables historias tristes

El mar no habla, como si nada hubiese pasado

En Corea, un país bordeado por mares en sus tres lados

Han habido muchas viudas que perdieron a sus maridos que salieron de pesca

Seguramente para ellas el mar habrá sido un mar de tristezas

Sopla el viento silenciosamente

Y junto a las historias tristes de aquellos que vivieron cerca del mar

Pasan rozando mi mente

Luego de varias horas el ruido de las olas acalla

Y empiezo a ver una isla solitaria

A diferencia de lo que había pensado desde la borda, de ser un lugar solitario

Puedo ver muchos pueblos aquí y allí en este lugar remoto

Me asombro al ver por primera vez un acantilado de roca

El paisaje es magnífico

Sobre las olas que agitan de azul marino vuelan gaviotas

Al parecer anidan sobre las rocas del precipicio

Bajo del barco y llego a la isla

A comparación de las personas problemáticas que viven en áreas
    urbanas

Tal vez porque se hayan ido asemejando a la mente del mar y a la
    mente de la isla

Las personas de aquí parecen ser gentiles y no tener maldad

En mi viaje de una semana, camino por un sendero de la isla

En el camino, me encuentro con cascadas y montañas empinadísi-
    mas

Camino junto al grupo de buceadoras de la isla Jeju

Que recogen crustáceos y algas marinas

Ellas han venido hasta esta lejana isla para ganar dinero

Algunas tienen mucha edad, algunas son casadas y algunas solte-
    ras

Yo era joven, estaba en mis veintes

Había señoritas jóvenes caminando junto a mí

Tal vez, por no querer bucear más

O tal vez porque odiaba el mar frío

Una señorita garbosa me rogó seriamente

Que la lleve a vivir a Seúl

Aunque mi relación con ella fue lo que duró la caminata

Al ver que ella deseaba ir a Seúl de manera precipitada

Veo que odiaba mucho su trabajo de buceadora que debía pelear con las fuertes olas

Este grupo de buceadoras caminaban sin palabras

Al parecer no habían personas débiles sin fuerzas

Caminaban con facilidad

En el momento que cae el sol, escondiéndose detrás de la montaña del oeste

Voy atravesando montañas tras montañas

Hasta que el océano se hace visible

Es el lado opuesto de donde empezó mi viaje

Empiezo a ver rocas que se alzan sobre el mar

Y también una aldea con su oficina municipal

Muchos viven en este lugar tan lejano

Las personas de este lugar, que en tiempos anteriores

Debían cruzar inexorablemente esta montaña por ser el único camino

Cuando la temporada de pesca terminaba

Los hombres bebían y jugaban a las cartas por la noche

Y efectivamente, han pasado sus vidas junto al ruido de las olas

En cada cantina, abarrotada de hombres, resuenan ritmos de canciones y de alcohol

Al igual que siempre, las olas abaten las rocas playeras sin piedad y las quiebran

Vuelven a su lugar y abaten, abaten y vuelven a su lugar, esto es lo
    único que hacen
Pero al parecer el hombre vive siendo esclavo de su mente
Teniendo sus preocupaciones y aflicciones

En este lugar en donde hay sólo una pensión
Decido pasar la noche
Las buceadoras que han caminado conmigo también se hospedan
    aquí
Esa joven buceadora que me había hablado sabía que yo estaba
    aquí
Pero me mira con indiferencia y junto a su grupo obtienen un
    cuarto
Me da una mirada vacía, cierra su puerta y se echa a descansar
Tal vez porque no le contesté a su pregunta
En ese momento no tenía pensamientos para responderle
Como había venido a esta isla para darle un descanso a mi vida
Esa propuesta era totalmente alejada de mi propósito
Aquí era el destino de las buceadoras
A la mañana siguiente empiezo a caminar nuevamente después del
    desayuno
Solitario, camino y camino bordeando el mar que chapotea
Y empiezo a ver casas en la cima de una montaña
Las hay también en su centro
Seguramente hubieron casas que no he visto por estar ocultas por
    la misma montaña

Sobre la playa, hay zonas en donde hay varias casas en una distancia de diez lis

Y también zonas en las que no hay ni una

Cruzando la montaña sólo

Si me topo con alguien en el camino

Me le acerco con cautela y la otra persona también es cautelosa

Cuando le hablo riéndome y si en sus palabras no hay maldad y es gentil

Conversamos y nos preguntamos las distancias que quedan por delante y nos despedimos

Dentro de la montaña, los habitantes que hablan de sus antepasados

Que migraron de tierras continentales hasta aquí

Eran de casas de campo, de casas pobres

Tomo un poco de agua y hablamos de esto y aquello

Y retomo mi camino pensando en ellos

El agua que fluye por los arroyos es cristalina

Es realmente fría por ser de deshielos y clara por ser provenientes de nieve pura

Todos los sucesos de la vida del hombre

Las historias de las personas que habitaron aquí

Las que han venido y se han ido sin nombre

Me obligan a pensar sobre la futilidad de la vida

Salgo de la montaña y llego a un pueblo costero

En una taberna inclino una copa de Makgoli hacia mi boca

En ese instante la dueña me pregunta de dónde he venido

Le contesto y parto después de preguntarle el camino

Con el alcohol efervescente en mi cuerpo no siento el cansancio

Camino y camino

Las aguas marinas brillan reflejando los rayos del sol

Y se escucha el raspado entre sí de canto rodado por las olas que
las arrastran

Camino sin propósito ni razón

Termina mi viaje de una semana y queda solamente en mí una
tristeza

De que en la vida del hombre todos viven en un lugar y mueren
sin propósito

La buceadora que quería irse a Seúl en sus días de juventud

Ahora seguramente será una abuela o habrá partido al otro mundo

Veo que el tiempo pasó como un cuento de sueños

Veo que todo fue un sueño

Has venido al mundo para realizar esto

¿A dónde vas con tanta prisa?

¿Por qué corres de aquí para allá y de allá para aquí?

Aunque el tiempo que ha pasado en silencio sea lamentable

No puedes atrapar el tiempo ni puede ser atrapado

Incluso este momento, cuando se vaya junto al tiempo

Tampoco podrá ser atrapado

Atesoras los recuerdos que se han grabado a lo largo del tiempo

Pero ves que no quedan ni si quiera rastros de ello en el mundo

Sentado a un costado de un río que fluye

Pienso detenidamente sobre la futilidad de la vida

Al igual que yo, las incontables personas que han descansado sentados en este lugar

Se han ido junto al tiempo y ya han desaparecido

El hombre vive toda su vida humana dentro de la mente que uno mismo ha creado

Pero como esa mente es inexistente

Aunque haya desperdiciado el tiempo en cosas sin importancia en un mundo ilusorio

Veo que no hay nadie que se pregunte por qué uno vive así

Ni si quiera se lo preguntan

El nuevo reino, en donde no hay mente

Ha existido desde antes pero no ha habido nadie que haya ido a
este lugar

Ya que es un camino demasiado lejo para que el hombre pueda ir

Aunque el hombre trate de ir a este lugar no puede lograrlo

Esto es porque el hombre es una persona de un mundo ilusorio
que es inexistente en el mundo

Debe venir la persona del mundo, el dueño del mundo

Para que el hombre pueda ser guiado por ese camino lejano

Veo que no hay nadie en este mundo que sepa el principio

De que únicamente cuando el dueño del mundo haya venido como
hombre

Es cuando puede permitir al hombre ir al mundo, nacer en el
mundo y vivir en él

Aunque le pregunte al agua que fluye siguiendo el río sin destino

Veo que no tiene ni el más mínimo interés

Aunque le pregunte al cielo y a los árboles montañeses

Tampoco tienen interés

Me doy cuenta de que simplemente viven el flujo de la naturaleza

Viven acorde a la ley natural ya despojados de toda incertidumbre
humana

Simplemente no poseen la mente del hombre

Y justamente esa mente es la Verdad

Aunque la mente de la Verdad exista, no mora en esa existencia

Existe por su propia cuenta

Se ha despojado de la mente misma y se ha despojado del conocimiento

La mente en la que absolutamente todo ha cesado es la mente del
vacío

No tiene curiosidad, preguntas ni dudas, ni siquiera desea saber

No tiene gusto ni olor, no ve

No escucha, no habla

No tiene tacto ni sonidos

Veo que no tiene absolutamente nada

Esa mente es la mente de la Verdad y como esta mente de la Verdad está viva

Absolutamente todas las existencias de este universo han nacido
de la mente de la Verdad

Si el hombre posee la mente de esta existencia

Con certeza tendrá sabiduría

Es el estado mental en el que absolutamente todo ha cesado

Sin embargo sabrá todos los principios del universo

Sabrá los principios del mundo humano y los principios del mundo

Dios es la sabiduría misma y se sabrá todo a través de la sabiduría

Las personas que hablan de éstos

Son simplemente palabras que su mente ha creado

Se dice que el origen de la sabiduría es saber de Dios

Esto significa que cuando uno se unifique con Dios sabrá todos los
principios de este mundo

Sólo aquel que absuelva completamente sus pecados

Se hará la Verdad y podrá saberlo

Cuando yo no existo

Queda solamente el cimiento original

Luego de que me haya hecho esa existencia misma

El dueño de ese mundo hará que yo nazca en ese mundo

El hombre termina muriendo luego de vivir un sueño de setenta a
ochenta años

Pero el que ha nacido en este mundo vivirá tanto como el mundo
vive

¿No es eterna la vida del mundo?

Si uno nace con el Alma y Espíritu del mundo, se hará uno con el
mundo mismo

Y vivirá en ese mundo de acuerdo a lo que viva el mundo

Salirse del infierno y del mundo saha, que es este mundo, destru-
yéndolo

Y renacer en el reino de la Verdad, es la completud humana

Ya que uno va al Cielo estando vivo

¿Habrá algo más importante que esto en este mundo?

No deambule en busca de algo

Dios y Buda están dentro de uno

Y hasta el Cielo está dentro de uno

En cuanto se limpie por completo la mente sucia y pecadora de
uno

Ese reino existirá dentro de uno

Han muerto porque no había llegado el dueño de la Verdad

¿A dónde hay que ir?

¿A dónde hay que ir?

El hombre que no tiene a dónde ir, no puede ni hablar

Pues tampoco sabe hacia dónde debe ir

El hombre vive aferrado a una sombra falsa

Deambulando dentro de esa sombra falsa

Sin saber del ir y el venir, tampoco sabe a dónde permanecer

Incontables personas han vivido de esta manera

A lo largo de los incontables pasares del tiempo

Muchos han pretendido ser superiores utilizando un millar de pa-
     labras inteligentes

Pero veo que no hay inteligencia ni superioridad

El hombre no sabe nada

Ni hubo nadie que realmente lo haya sabido

Puesto que nadie ha hablado palabras de sabiduría

Ni ha existido nadie que permitiera a saber

El origen del conocimiento y la sabiduría es el mundo

Pero veo que no ha habido nadie viviendo en el mundo

El que ha ido al mundo, sabrá el camino al mundo

Y sabrá también los principios del mundo

Pero como no ha habido un camino a ese mundo

Se evidencia de que no ha habido nadie

Aquellos que parlotean sus propias palabras que no son las palabras del mundo

Veo que simplemente han hablado tonterías

La razón por la cual no ha habido ni una persona viva en el mundo

Es porque no ha venido el hombre vivo del mundo, al mundo humano

El hombre vivo es aquel que vive en el mundo

El dueño del mundo es el único que habrá nacido en el mundo por sí mismo y estará vivo

Como el dueño del mundo no había llegado

No ha sido posible llevar al hombre al mundo

Únicamente el dueño del mundo puede llevar al hombre al mundo

Y permitirle la vida en su mundo

En todas las religiones, incontables personas esperan a esta existencia

Pero si no existe el mundo dentro de la mente de uno

Aunque esta existencia haya venido o se haya ido no podrán saberlo

El que vive dentro de su propio mundo ilusorio

No puede verlo porque dentro de su mente no existe el mundo

Como las personas hablan y viven de acuerdo al contenido de su mente

Dentro de la mente de uno deberá existir el mundo para que pueda saber del mundo

El Demonio

La diferencia entre Dios y el demonio es:

Dios es amor, gran misericordia, gran compasión, virtud

Y es el flujo de la naturaleza misma

Simplemente ve, simplemente vive y vive aceptando absolutamente todo

Dios no posee esa mente

La mente de Dios es la inexistencia de la mente misma y es la Verdad misma

Simplemente vive sin discernimientos

Lo sabe todo pero tiene una mente en la que todo conocimiento ha cesado

Sabe del reino de Dios a través de la sabiduría

Y no habla desde su propia mente como las personas que dicen ver algo o escuchar algo

Simplemente ve y simplemente vive, tal como se ven y tal como existen las cosas

Es la libertad y la liberación misma

El demonio, es lo opuesto a Dios

El demonio habla de sus conocimientos, hace predicciones

El demonio alega como que es el mejor y también que es el rey de la Verdad

Pero todo eso es el demonio que es ilusorio

Definición de una persona y del fantasma

Aquel que vive en el mundo es una persona, es una persona verdadera

El que no vive en el mundo es una ilusión inexistente

Es un fantasma

La persona que nace en el mundo y vive en él es una persona

Pero la persona que no nace ni vive en el mundo es un fantasma

En el mundo no existen los fantasmas

El fantasma no vive en el mundo

Y por poseer un mundo que es una copia del mundo, dentro de su mente

El fantasma vive siendo una fotografía ilusoria dentro de una fotografía ilusoria

El fantasma, aunque exista, es inexistente

No vive en el mundo completo

Sino que el fantasma vive en el mundo de fotos

La persona del mundo que ha venido al mundo fantasma para atrapar fantasmas

Aunque absolutamente todo el universo sea vida

No hay nadie que pueda ver ni saber del universo que es vida

Veo que todas las personas están encerradas dentro su propia mente que no es el universo

Y están muertos gimoteando de dolor

Ese mundo es inexistente

Ese mundo es ilusorio

Aunque Dios, el hombre y el todo sean uno

Dios vive en el mundo, pero el hombre está muerto encerrado dentro de la foto

La diferencia entre Dios y un fantasma, a los que sólo los hemos escuchado nombrar

Es entre existir y no existir

El fantasma que vive en un mundo inexistente es inexistente

Pero el fantasma que vive en ese mundo fantasma piensa que existe

Lo único que realmente existe es el mundo

Por esto, el que ha nacido en el mundo

Vive de acuerdo al tiempo que vive el mundo y permanece vivo

Incluso el hecho de que todo lo existente nazca y viva como una existencia existente

Será posible únicamente para el que haya nacido en el mundo, en el reino divino

Como he venido al mundo fantasma para atrapar fantasmas

Los diversos fantasmas reaccionan con maldad

Como los daños que los fantasmas han causado son desmedidos

Veo que no pueden desechar ese mundo ilusorio

El fantasma piensa que la vida no tiene propósito, que la vida del hombre no tiene propósito

Lo único que sabe hacer es poseer ilusiones, por lo tanto cree que la Verdad es obtenible

Pero esa Verdad se debe encontrarla

No es poseerla

Sino que es eliminarse a uno mismo que es el fantasma

Y su mundo de fotos que es el mundo fantasma

Como vive creyendo que éstos son reales

Veo que el fantasma es el que juzga si es acorde o no a sus preconceptos y hábitos

Ya que no hay nada que sea útil, deseche absolutamente todo

Deséchese a sí mismo, su esposa e hijos, toda su fortuna y tierras

Cuando les digo, que para poder nacer y vivir en el mundo verdadero

Siendo inmortal con vida eterna

Uno debe desechar absolutamente todo

Veo que todos los fantasmas se inquietan preocupados

Pero esto no es más que reacciones de su maldad

Cuando Dios se hace presente los fantasmas huyen

Veo que Dios erradica a todos los fantasmas con sabiduría

Veo que sólo Dios lo puede hacer

Es posible la vida eterna en el Cielo, al que sólo hemos escuchado

Únicamente desechando y desechando absolutamente todo

Solamente la vida del hombre sin propósito

Solamente en el mundo sin propósito

Uno ha vivido culpando a esto y aquello creyendo que era el mejor

Que sólo lo suyo era lo correcto

Pero al hacerse presente Dios, se revela que todo es falso y que
todo es ilusorio

Pero el fantasma es ignorante de su vergüenza y es prepotente

Aunque haya salvado al fantasma que vive en un mundo inexistente

Haciéndolo que nazca en el mundo existente, en el mundo de la
vida

El fantasma tampoco sabe agradecer

Veo que sólo intenta recuperar otra vez el mundo fantasma que ha
desechado

Veo que hay incontables demonios que escapan por su rechazo al
desechar

El cielo vacío vivo

Veo que llueve silenciosamente
Veo que las gotas de lluvia son como una neblina
Aunque el cielo esté vacío, hay nubes, agua
Oxígeno, hidrógeno, dióxido de carbono y muchas cosas
Aunque el cielo esté vacío
Posee a la Tierra, el Sol
La Luna y también a las estrellas

Hay también vacíos en donde sólo el cielo puro existe
Hay también vacíos en donde existen muchas cosas materiales
Aunque el cielo posea innumerables cosas
El cielo vacío los envuelve enteramente sin palabras
La apariencia original de este cielo vacío no tiene formas
Pero está compuesto por el Chong y Shin
El cielo vacío es el Creador
Debido a la coexistencia de esto y aquello
Si esto existe, aquello existe
Es la omnipotencia misma
Esta existencia única crea las millones de formas
Y también las recauda

No trate de encontrar algo dentro de ilusiones falsas

Sino que debe buscarlo en el mundo existente para que sea correcto

Uno cree que el Cielo existe en un mundo ilusorio

Pero el que ha nacido en este mundo, es el que ha ido al Cielo

Pero no hay nadie en el mundo que sepa sobre esto

Uno cree vagamente que irá al Cielo

Pero el Cielo de uno, es un Cielo ilusorio

Gente

Nazcamos en el Cielo luego de entender por completo los principios de este mundo

El hombre ha vivido por incontables eras

Pero no tiene sabiduría

Porque no ha podido hacerse la postura del dueño del mundo, que
es el dios de la sabiduría

Porque encerrado dentro de su propia mente, no ha ido ni siquiera
una vez al mundo

Si yo quiero entender el mundo, no podré saberlo

Pero si me hago el mundo, podré saberlo

Todas las creaciones de este universo existen y han nacido

Porque existe el cielo

Porque el cielo existe, el mundo, las personas y todas las creaciones
han nacido

Este cielo vacío es el cimiento original

Los padres de todas las creaciones de este universo son el cielo vacío

El dueño de todas las creaciones de este universo es este cielo vacío

Esta existencia misma es la Verdad de todos los tiempos

Y como esta existencia está viva, el mundo está vivo

Absolutamente todo este mundo, es la expresión del cielo vacío

Como este cielo vacío está vivo

Incontables existencias nacen y retornan aquí

Incluso el hombre, debe destruir su mundo del pecado estando
    vivo

Y este cielo vacío debe hacerse su mente

Debe nacer nuevamente con su Alma y Espíritu

En este mundo original del Alma y Espíritu

Sólo así, el hombre puede vivir en el mundo

Y el hombre puede completarse

El propósito de Dios

Veo que la fina luna menguante
Se está moviendo como si se desplazara entre las nubes
No sé desde cuando
Pero hombres de la antigüedad habrán visto también esta luna
También habrán visto al sol del cielo
Esa corriente de agua que fluye silenciosa
Fluye y fluye para unirse con el mar
Pero se unen sin ningún conflicto
En el incontable transcurso del tiempo
Han quedado por todo el mundo
Cuentos felices y tristes
Sobre codicias de la gente
Codicias generadas a partir de sus conciencias de inferioridad
Estos cuentos se han hecho historia
Y pareciera imposible enumerarlas
Sin poder vivir como el flujo del tiempo
Dentro del tiempo que pasa silenciosamente
Veo que solamente el hombre carga consigo su propia historia
Sin poder ser uno con el mundo
Viviendo dentro de su propio sueño
Pataleando y tratando de realizar sus sueños
Veo que también ha desvanecido y desaparecido junto al tiempo

La vida que es vivida únicamente dentro del sueño

Es una vida en la que uno merodea perdido dentro de ese sueño

Así como siempre lo ha sido

El hombre continúa soñando

Sin poder nacer y vivir en el mundo

El hombre desaparece soñando toda una vida

Por esto, los hombres de la antigüedad han dicho que la vida es
    como una lenteja de agua

Que la vida del hombre es como una burbuja de agua

Como una nube flotante

Como un sueño de atardecer

Como una vida sin sentido

Una vida igual a una mosca efímera

Una vida como el humo

Una vida inexistente

Todas las personas que han vivido y se han ido

Han vivido sus vidas de esta manera

Al ver que en este momento nadie es uno con el mundo

Ni nadie ha nacido como la Verdad misma

Veo que todos terminaron desapareciendo

No hay nadie en el mundo

Que pueda detener el tiempo que corre sin razón ni propósito

Todo desaparece junto al correr del tiempo

Y veo que todas las existencias presentes desaparecen

Uno se cuestiona

Si Dios fuese perfecto

Por qué permite al hombre vivir con dolor y cargas

Y por qué lo deja morir

Pero esto es simplemente un pensamiento del hombre

La profunda voluntad de Dios es que ha creado al hombre semejante a Dios

Haciendo que el hombre copie las existencias del reino de Dios

E induciendo a que el hombre tenga el deseo de posesión

Para que este deseo propague las semillas del hombre

Promoviendo así el progreso de las civilizaciones del mundo

Y cuando la población del hombre haya logrado su máxima expansión

Es cuando Dios cosecha al hombre

Haciendo posible que la mayor cantidad de personas vivan en el reino del Cielo

En el caso de que Dios haya permitido al hombre completarse

El hombre, al no tener deseos, no se hubiese procreado

Ni las civilizaciones hubiesen progresado

Así como Dios ha creado todas las creaciones de este mundo

Estas creaciones deben renacer eternamente como el hijo de Dios en su pecho

Para que así sean la Verdad y puedan vivir eternamente en el reino de la Verdad sin muerte

Viviendo en este mundo, si uno se arrepiente y desaparece por completo

Queda solamente el origen, el cimiento original

Y cuando Dios resucite a uno en el reino de la Verdad, en el cimiento original

Es cuando se hará dios inmortal y eterno junto al mundo

Ahora mismo es la era en la cual uno se hace una persona viva

Y ya no vive una vida vacía sin propósitos o una vida como una nube flotante

En esta era, todos deben arrepentirse de sí mismos

Y adentrarse en el reino de la Verdad y vivir

No habrá nada más importante que esto

En vez de culpar al tiempo, al mundo o al prójimo

Cúlpese a sí mismo y elimínese a sí mismo que es un ser inútil

De esta manera no culpará al tiempo, ni al mundo ni a nadie

Esto es el camino a la unificación del mundo

Esto es el camino para ir al Cielo y al paraíso estando vivo

La persona que se haya arrepentido completamente, vivirá eternamente

Una vez que uno haya nacido en el mundo, puede ver que todo lo que existe

Y todo lo que ve, es la Verdad

Y de acuerdo a esas formas, todas las creaciones de este mundo están viviendo

Visto esto desde la perspectiva del mundo, todo es uno

Veo que la inexistencia del origen que está vivo, es el dueño

La existencia es la inexistencia, la inexistencia es la existencia

Es el cimiento original, es el origen

Pensar que uno está vivo es un sueño
Sálvese antes de que sea devorado por el
demonio del tiempo

Veo que llueve mucho

Son lluvias de fines de abril que apuran la llegada de la primavera

Mientras llueve reveo mis vivencias de vida

Me doy cuenta de que todo ha quedado como un recuerdo vago

Me doy cuenta de que todo fue un sueño fútil

Incluso aquellas personas que me amaron, me protegieron y me
odiaron

Terminaron esparciéndose y han desaparecido

Pero lo único que queda en mi mente

Son simplemente fotos que mi mente ha poseído

Todos aquellos que vivieron en el mundo, dentro del tiempo que
fluye

Vivieron con prisa, siendo bulliciosos

Pero aunque hayan tratado de llenar sus conciencias de inferioridad

Sin poder lograrlo

Han desaparecido esparciéndose quién sabe a dónde

La vida del hombre es simplemente un sueño de atardecer

Así como cuando uno despierta del sueño sabe que es falso y no es
real

Es lo mismo con la vida del hombre

Si uno mira desde dentro de uno mismo, no puede saber si es real
o falso

Pero así como uno sabe que ha sido un sueño cuando despierta del
sueño

Cuando la conciencia del hombre ve desde fuera de sí, desde el cimiento original

La vida del hombre es inexistente

Atrapado dentro de sí mismo

Ve ilusiones inexistentes, que es su propia mente

Sin poder diferenciar si es un sueño, si es real o es falso

Pero cuando uno se hace el origen

Puede ver que la vida del hombre es realmente falsa e inexistente

Lo que el hombre llama vida

Es una vida dentro de un sueño ilusorio que forzasamente debe
vivir

De acuerdo al guión de ese sueño

Por esto, aunque el hombre muera no sabe que ha muerto

Incluso el hecho de pensar que uno mismo existe

Es también un sueño por ser inexistente en el mundo

Mi mente, es un videocasete que yo mismo he producido

De todo lo que he transitado a lo largo de mi vida

Como yo estoy viviendo dentro de esa cinta de video

Soy realmente ignorante del mundo

El mundo es real

Para saber de los principios del mundo

Para poder saber la voluntad del mundo

Uno debe vivir en el mundo real

Pero como he dado la espalda al mundo y vivo dentro de mi propio mundo

Vivo dentro de un sueño que está lejos del mundo, que no tiene sentido ni propósito

La vida que uno ha vivido, a fin de cuentas

Es un sueño falso, y en este sueño, uno vive poseyendo falsedades

Hasta que termina siendo un fracaso

Esto es la vida del hombre, esto es el mundo del hombre

Todas las personas que nacieron, vivieron en el mundo y se fueron sin sentido ni propósito

Terminaron yendo a un mundo falso luego de hacer tonterías

¿Hay algo más lamentable que esto?

El reino del Cielo es el mundo

La tierra de Buda es el mundo y el Cielo también es el mundo

Este mundo es existente y es uno

El mundo de la Verdad es el mundo vivo de la vida eterna e inmortal sin muerte

Aquel que limpie su mente

Su mente se unificará con la mente de la Verdad

Y una vez que renazca allí

Entonces esta persona habrá renacido y habrá resucitado

Sin importar donde esté o donde viva

En donde uno esté, será el Cielo y será la Verdad, y por esto vivirá

Siendo parte del mundo en el mundo, vivirá sin muerte

En el reino del Chong y Shin

¡Gente! No viva una vida inútil

No pierda ni un segundo y absuelva sus pecados

Y sálgase de su mundo mental

Vayamos al Cielo estando vivo, al cual sólo hemos escuchado nombrar

Sepa que el tiempo que pasa en silencio

Es el demonio que devora a las personas sin razón ni propósito

Venga, sálgase al mundo en vez de prestar atención a cosas inútiles

La vida en este mundo es en su totalidad un sueño

No importa qué tan bien uno viva o qué tan feliz sea en ese sueño

¿Qué importancia tendría si no es real?

¿Qué propósito tendría si no es real?

Antes de que sea devorado por el demonio del tiempo

Sálvese

Uno debe nacer y vivir en el mundo

En el mundo en el que el demonio del tiempo no existe

En el mundo en donde el tiempo no existe

Ya que no hay tiempo

La muerte tampoco existirá

El alcohol que fue mi compañero

Antaño, cuando mis amigos eran jóvenes

Disfrutaban muchísimo del alcohol

Yo también tomaba como una ballena

Cuando hervían como sopa incontables pensamientos en la cabeza

Y cuando tenía preocupaciones

Tomaba uno o dos tragos y esos pensamientos solían desaparecer

Hasta mis suspiros tristes y penas se han esfumado con el alcohol

Incluso cuando no podía hacer cosas que quería

Cuando la vida me era difícil

De esta u otra manera he vivido teniendo como compañero al alcohol

Hasta tuve la nariz roja de tanto beber, que es un síntoma del alcoholismo

Cuando la gente se encontraba en aquellos tiempos

El principal esparcimiento era ir a un bar a beber

Después de unas copas, el alcohol hacía que tomara más alcohol

El estado máximo del alcohol es no tener consciencia

Pero tal vez, por sentirme lleno, no muchas veces he llegado a ese estado

Diciéndonos ¡sirve! y ¡bebe! muchas noches he madrugado

Sentía pereza de ir seguido al baño cuando bebía

Aunque a veces el alcohol es necesario en la vida del hombre

Muchas veces es veneno y muchos han muerto por enfermedades
del alcohol

Toleraba extremadamente bien el alcohol

Tal es así, que pensaba que no había nadie en este mundo

Alguien que haya bebido más que yo

Se me ocurre que es realmente curioso que siga vivo

Luego de haber bebido tanto alcohol

Ya hace más de diez años que no bebo

Pero cuando comenzaba mi enseñanza

Al inicio de Meditación Maum

Todavía bebía mucho

Una vez logrado la iluminación, ya no me emborrachaba por más
que tomara

El alcohol había sido mi compañero que consolaba mi soledad

El alcohol solía calmar mis pensamientos incesantes y apaciguar
mis penas

Tal vez el alcohol aliviaba el sentimiento de inferioridad que sur-
gía de mi mente

Mis amigos del alcohol han desaparecido

También hay amigos que se han ido al otro mundo por el alcohol

Como soy muy trabajador de naturaleza

He enseñado la Verdad con mucha dedicación y esfuerzo

Pienso que también fue por mi diligencia que Meditación Maum

Ha progresado muchísimo

De tanto en tanto pienso en el alcohol, pero más que por el alcohol
mismo

Creo que extraño poder conversar sin barreras así como cuando
uno bebe

Con el alcohol, solía desprenderme de los sucesos que estaban
guardados dentro mío

He bebido y bebido sin razón ni propósito

Al parecer fue por el indescifrable acertijo

Sobre la vida del hombre, su nacimiento y su muerte

Lo que me hizo que tomara tanto

Dentro de mi mente no encontraba solución

Aunque tomaba muchísimo alcohol, trabajé muy duro

Gané mucho dinero y viví bien

Ahora que he descifrado todas las dudas que tenía en mi mente

Mis suspiros, mi curiosidad y hasta el alcohol han desaparecido

Ya no tengo penas ni soledad

No tengo sed de logros, no tengo amigos ni alcohol

Sólo escribo y escribo en soledad

Escribo y escribo prosas y pinceladas caligráficas

Al parecer vivo escribiendo sin cesar para poder enseñar al hombre

La Verdad de la manera más fácil posible

Enseño la materia más difícil del mundo

Que es lograr que el hombre se complete

Y enseño el método que permite la salvación del mundo

Sin embargo el hombre no tiene perseverancia

El hombre ha vivido únicamente para sí mismo

Ya que enseño al hombre hacia el mundo real

Al hombre que tiene una conciencia muerta

Y que vive en un mundo inexistente

Enseño adaptándome a la perseverancia del hombre

Me doy cuenta de que el hombre carece de dedicación

A la situación más importante

Que es entre vivir o morir

Empeño en la enseñanza, cien veces más de esfuerzo

De lo que las personas se esfuerzan para aprender

Ya que dedico todo mi tiempo en esto

Gentío

Las claras aguas del río habrán recorrido

Por mucho tiempo sin una palabra desde Canadá

Hasta aquí, Nueva York

Siguiendo sus sinuosas curvas y contracurvas

En esta parte del río

En donde las aguas claras convergen con el mar

Habrán muchos peces

Y habrán también peces grandes

Incluso los peces que viven libremente en este río que fluye

Vivirán adaptándose a las condiciones del ambiente

Aquí, Nueva York, es el centro financiero del mundo

En donde este río bordea Manhattan

Y en este punto, es en donde converge con el mar

Incluso en este lugar, cuya historia es corta

Hay muchas tristezas y resentimientos

Con incontables personas que vienen y van a este y aquel país

Manhattan es una ciudad apresurada y con mucha gente que ca-
mina con prisa

Aunque todos tengan sus propios deberes

Muchos habrán tenido demasiados deberes

Los edificios envejecen junto al tiempo

Y también, muchas personas que han ido y venido, que han pisado alguna vez esta ciudad

Habrán ya desaparecido

Sin embargo el cielo, la tierra y el río

A lo largo de las pruebas del tiempo, siguen en su lugar

Pero todas estas personas, que hablan mucho y tienen muchas historias

Algún día desaparecerán

Aunque pase mucho mucho tiempo

Aunque la tierra y el río desaparezcan

El cielo seguirá existiendo

Cuando en el reino del Cielo, que simplemente existe

Exista el Alma y Espíritu de todas las existencias del mundo, siendo el cielo mismo

Esta tierra y el río también permanecerán eternamente

Cuando el cielo se haya hecho mi mente y viva dentro de mi mente

Y cuando mi Alma y Espíritu haya nacido, no tendré muerte

No es el deber del hombre vivir con prisa

Sino que debe saber este principio y nacer en este reino y no tener muerte

¿No es esto el deber más urgente?

El único deber que el hombre debe realizar es esto

Pero el hombre que no sabe los principios del mundo

Y vive solamente para sí mismo sin querer aprender los principios del mundo

Siento angustia al ver que muchos terminan muriendo

El hombre completo es aquel que nos guía al reino completo

Por mucho tiempo, el hombre ha buscado completarse

Pero la razón por la cual el hombre no ha podido completarse

Es porque no ha habido un hombre completo

Aunque el hombre haya intentado lograr la completud humana

El hombre ha vivido en un mundo incompleto

Porque no supo acerca del reino completo

Para que el hombre pueda completarse

Debe venir el hombre completo del reino completo

El hombre completo es el que puede enseñar al hombre incompleto

Y puede además guiar el camino hacia el reino completo

Incluso el único que puede hacer que el hombre viva en ese reino
completo

Es el hombre completo

Como el hombre vive en un mundo inexistente de fotos

Vive en un mundo de fotos, el cual es una foto ilusoria

Como está superpuesto con el mundo

El hombre no sabe que está viviendo dentro del mundo de fotos

Ha poseído a ese mundo de fotos

Y vive de acuerdo a los preconceptos y hábitos de ese mundo

Pensando que su mundo es correcto

Pensando que su mundo es certero

Ya que conoce solamente lo que existe en su mundo

Esto es la foto que no es para nada correcto

Esto es una ilusión

Nueva era

Cuando el mundo se haga un nuevo mundo

Cuando sea la era en la que el cielo, el hombre y la tierra vivan

La conciencia del mundo logrará su esplendor

Y las religiones irán más allá de las religiones

Será la era en la cual el hombre será el ser supremo

Ya que existirá el mundo dentro del hombre, a su propia voluntad

Vivirá siendo el dueño, acumulando bendiciones y viviendo dentro
de éstas

Uno será el dueño, Buda y el rey dentro de sí mismo

Y al ser el dueño del mundo, no tendrá muerte

Ni la carga pesada ni el sufrimiento del hombre

No existirán los discernimientos del bien y del mal, gustos y disgustos

Los preconceptos y hábitos que el hombre posee

Son simplemente el ego ilusorio de uno mismo, los cuales son su
propia mente

Éstos no existen en el mundo

En esta era, uno irá al Cielo estando vivo, al que sólo hemos escuchado hablar

Aparecerán innumerables Budas, santos e iluminados, a los que
sólo hemos escuchado hablar

La persona muerta dentro de su propio molde mental se hará una persona viva

La resurrección y el renacimiento que sólo hemos escuchado hablar

Se realizará en el hombre

Incontables personas han tratado y fallado en encontrar su verdadero ser

Pero se hará la era en donde todos podrán encontrarlo y se harán santos

No había nada que el hombre supiese dentro de un sueño

Pero se hará la era en la que el hombre sabrá los principios del mundo

Se hará la era en la que todas las profecías se realizarán

La era en la que se realiza la vida eterna en el Cielo y en el paraíso

A la que sólo hemos escuchado mencionar

Es justamente ahora

En esta era, el hombre ya no luchará para llenar su conciencia de inferioridad

En esta era, las personas que viven en el mundo se unificarán

En esta era, todos los países se unificarán, sin división de naciones

En esta era, las religiones, filosofías e ideologías se harán uno

En esta era, los santos vivirán para el bienestar de otros

En esta era, uno vivirá en el cielo ya que el cielo estará bajo

Sin conciencias de inferioridad y sin carencias

En otras palabras, en esta era el hombre habrá superado sus preconceptos y hábitos

En esta era, aunque uno muera vivirá eternamente sin muerte

Luego de que el hombre se haya completado, al que sólo hemos escuchado en palabras

Este mundo y el mundo más allá no serán distintos

En esta era, las risas no cesarán

En esta era, no habrán lamentos cuando alguien muera

En esta era, el mundo se hará un lindo lugar para vivir

Ya que el hombre tendrá sabiduría sin aflicciones ni pensamientos
fantasiosos

No será tonto y trabajará diligentemente

Esta es la era de la Tierra de Buda

En esta era, uno se librará de las siete emociones y de los cinco deseos

Y no existirá el nacimiento, envejecimiento, enfermedad y muerte
del hombre

En esta era, aquí y esta tierra será el Cielo

En esta era, se realizará la armonía del mundo humanitario

En esta era, todos se harán uno y vivirán eternamente

En esta era, uno vivirá siendo Dios

En esta era, uno vivirá siendo Buda

En esta era, uno vivirá de acuerdo al flujo de la naturaleza

En esta era, ya que no habrá codicia

No habrán ladrones, asaltantes ni harán daño al prójimo

En esta era, todos vivirán aunque no haya leyes

Para que esta era se realice

El hombre debe desechar la perversa mente humana y egoísta

Es cambiar la mente por la mente de Dios

Es vivir luego de haber renacido en el reino de Dios

La materia ha aparecido en el mundo; el lugar de procedencia es el cimiento original y el lugar a retornar es también en cimiento original. Hay una frase en coreano "inútil que no ha nacido en el mundo" e "inútil del mundo". Esto significa que el hombre no ha nacido ni vive en el mundo; por lo tanto, es inútil en el mundo. Cuando la materia de este mundo renace como la Verdad y vive, será la salvación y es cuando el hombre se completa.

Cuando dentro de la mente de uno, exista Dios y Buda, existe el Cielo y el paraíso, el hombre nacerá en el mundo de la Verdad sin muerte y vivirá. Esto es la completud humana.

Todas las escrituras de las religiones han predicho que esta era vendrá. Las personas creen que en esta era, esta existencia vendrá de la religión que uno cree; pero cuando la falsedad se haga la Verdad será esa era; cuando la ilusión se haga real será esa era; cuando la mente humana se cambie por la mente de Dios y cuando uno renazca en el reino de la Verdad será esa era. ·

Hasta ahora, que ha sido una era incompleta, solamente se sumaba dentro de la mente. Pero en la era completa, uno resta su propia mente; y de acuerdo a lo que ha restado, uno sabe, siendo esto la iluminación. Cuando se reste la falsedad, la Verdad se hará la mente de uno, y cuando esta Verdad sepa, será la iluminación y de esta manera uno se completará.

El hombre no puede entender las escrituras sagradas y no puede entender los principios del mundo; esto es porque uno vive dentro de su propio mundo mental, que es una foto inexistente, que es su propia ilusión, y no está viviendo en el mundo. Por esto el hombre no sabe nada.

Como no hay vida dentro de la mente que ha copiado el mundo, que es el mundo mental de uno que ha dado la espalda al dueño del mundo, la persona que vive aquí está muerta y no sabe absolutamente nada y terminará muriendo dentro de ese mundo ilusorio.

Sin embargo, la persona que nazca en el mundo y viva en el

mundo, luego de que haya desechado su ilusorio mundo mental, vivirá en el Cielo estando vivo. Restar la falsa mente de uno será el único camino para que el hombre pueda completarse; pero el hombre que vive dentro de un mundo de mentiras, no sabe que está muerto aunque lo esté. A las personas que vivan en el mundo, les dará pena que estén muerto.

Dios y Buda son la Verdad. Únicamente la persona que haya nacido con el cuerpo y mente de la Verdad, de Dios y Buda, vivirán eternamente aquí en esta tierra, siendo esto el propósito final que todas las religiones buscan. Si es que existe un lugar en donde esto se realiza, deberíamos ir a este lugar y salvar a mi propio ser que está muerto.

¿No deberíamos hacernos la Verdad, hacernos dios inmortal y eterno, luego de desechar a mi equivocado ser, en esta era en la cual el hombre se completa a través de la sustracción?

Termina la era en la cual la Verdad se practica solamente con palabras. Ahora, que ha llegado la era en la que uno puede completarse, ¿no deberíamos de recibirla con alegría? ¿no debería uno desecharse a sí mismo que es falso y sustraerse por completo?

Woo Myung

Centros de Meditación Maum
Ubicaciones y contactos

Por favor visite www.maum.org para una lista completa de direcciones, teléfonos y fax, así como también las ubicaciones y contactos de los 230 centros regionales de Corea.

[Corea del Sur]
Centro Principal
Nonsan
82-41-731-1114

[Estados Unidos]
CA
Berkeley
1-510-526-5121

Diamond Bar
1-909-861-6888

Irvine
1-949-502-5337

L. A.(Downtown)
1-213-484-9888

L. A.(Koreatown)
1-213-908-5151

Orange
1-714-521-0325

San Diego
1-858-886-7363

San Fernando Valley
1-818-831-9888

San Francisco
1-650-301-3012

San Jose
1-408-615-0435

CO
Denver
1-303-481-8844

FL
Miami
1-954-379-6394

GA
Duluth
1-678-698-8307

Sandy Springs
1-678-683-4677

Smyrna
1-678-608-7271

HI
Honolulu
1-808-533-2875

IL
Lakeview
1-773-904-7933

Morton Grove
1-847-663-9776

Schaumburg
1-630-237-4166

MA
Boston
1-617-272-6358

MD
Ellicott City
1-410-730-6604

NC
Raleigh
1-919-771-3808

NJ
Palisades Park
1-201-592-9988

NV
Las Vegas
1-702-254-5484

NY
Manhattan
1-212-510-7052

Bayside
1-718-225-3472

Flushing
1-718-353-6678

Plainview
1-516-644-5231

PA
Elkins Park
1-215-366-1023

TX
Austin
1-512-585-6987

Dallas
1-469-522-1229

Houston
1-832-541-3523

Plano
1-972-599-1623

VA
Annandale
1-703-354-8071

Centreville
1-703-815-2075

WA
Federal Way
1-253-520-2080

Lynnwood
1-425-336-0754

[Alemania]
Berlin
49-30-2100-5344

[Argentina]
Congreso
54-11-4951-1025

Flores
54-11-4633-6598

Floresta
54-11-3104-7378

[Australia]
Sídney
61-2-9804-6340

Perth (Mandurah)
61-8-9586-2070

[Brasil]
Brasilia
55-61-8208-4604

Lindoia
55-19-3824-5842

Sao Paulo
55-11-3326-0656

[Cambodia]
Phnom Penh
855-23-99-7245

[Canadá]
Mississauga
1-289-232-3776

Montreal
1-514-487-0271

Toronto
1-416-730-1949

Vancouver
1-604-516-0709

Westside
1-604-267-9088

[Chile]
Santiago
56-2-813-9657

[Filipinas]
Manila
63-2-477-5505

[Francia]
París
33-1-4766-2997

[Guatemala]
Guatemala
502-2360-6081

[Hong Kong]
852-2572-0107

[India]
Gurgaon
91-97178-63915

[Indonesia]
Tangerang
62-21-5421-1699

[Inglaterra]
Londres
44-208-412-0134

[Italia]
Genova
39-349-364-2607

Milano
39-349-106-7432

[Japón]
Fukuoka
81-93-601-5102

Osaka
81-6-6777-7312

Sendagi
81-3-6277-9610

Shinjuku
81-3-3356-1810

Yamagata
81-238-40-0650

Yokohama
81-45-228-9926

[Kazakhstan]
Almaty
7-727-273-1893

[Kenia]
Nairobi
254-20-520-3346

[Malasia]
Kuala Lumpur
60-3-4257-1482

[México]
D.F.
52-55-5533-3925

[Nueva Zelanda]
Auckland
64-9-410-3131

[Paraguay]
Asunción
595-21-234-237

[Rusia]
Moscú
7-495-331-0660

[Singapur]
Marine Parade
65-6440-0323

Tanjong Pagar
65-6222-4171

[Sudáfrica]
Pretoria
27-12-348-2203

[Suecia]
Estocolmo
46-76-804-6806

[Tailandia]
Bangkok
66-2-261-2570

[Taiwán]
Taipei
886-989-763-445

[Vietnam]
Ho Chi Minh
84-8-5412-4989